LES ARMURES DU CŒUR

Les ARMURES du CŒUR

Comment gérer les habitudes et attitudes
qui vous empêchent d'avoir une vie riche et satisfaisante

Marilyn Kagan et Neil Einbund, Ph.D.

Traduit de l'anglais par
Josée Guévin

A·D·A
éditions

Syntonisez radio Hay House sur www.hayhouseradio.com

Éditeur : François Doucet
Traduction : Josée Guévin
Révision linguistique : L. Lespinay
Correction d'épreuves : Carine Paradis, Nancy Coulombe
Mise en pages : Sébastien Michaud
Design de la couverture : Christy Salinas
Montage de la page couverture : Matthieu Fortin
ISBN 978-2-89565-993-8
Première impression : 2009
Dépôt légal : 2009
Bibliothèque et Archives nationales du Québec
Bibliothèque Nationale du Canada

Éditions AdA Inc.
1385, boul. Lionel-Boulet
Varennes, Québec, Canada, J3X 1P7
Téléphone : 450-929-0296
Télécopieur : 450-929-0220
www.ada-inc.com
info@ada-inc.com

Diffusion
Canada :   Éditions AdA Inc.
France :   D.G. Diffusion
                    Z.I. des Bogues
                    31750 Escalquens — France
                    Téléphone : 05-61-00-09-99
Suisse :   Transat — 23.42.77.40
Belgique :   D.G. Diffusion — 05-61-00-09-99

Imprimé au Canada

Participation de la SODEC.
Nous reconnaissons l'aide financière du gouvernement du Canada par l'entremise du Programme d'aide au
développement de l'industrie de l'édition (PADIÉ) pour nos activités d'édition.
Gouvernement du Québec — Programme de crédit d'impôt pour l'édition de livres — Gestion SODEC.

Catalogage avant publication de Bibliothèque et Archives Canada

Kagan, Marilyn

    Les armures du cœur : comment gérer les habitudes et attitudes qui vous empêchent d'avoir une vie riche et
satisfaisante
    Traduction de : Defenders of the heart.
    ISBN 978-2-89565-993-8

    1. Mécanismes de défense. 2. Autodéveloppement. 3. Succès - Aspect psychologique. 4. Réalisation de soi. I.
Einbund, Neil, 1960-   . II. Titre.

BF175.5.D44K3314 2009   158.1   C2009-941895-9

À Martin et Dorothy Kagan.
Vous me manquez plus que je ne l'aurais cru possible.
Merci, papa, pour ton sens de l'humour délirant…
C'est mon armure préférée.
— *Marilyn*

À Eunice Einbund et Marni Levine.
Vous nous avez quittés beaucoup trop tôt, mais
la chaleur de vos cœurs continue de nous envelopper
et le fera éternellement.
— *Neil*

TABLE DES MATIÈRES

PRÉFACE

Il a fallu beaucoup de temps pour rédiger *Les armures du cœur*. À nous deux — Marilyn et Neil — nous cumulons 40 ans d'expérience en counseling et en psychothérapie. Nous avons aidé des gens à faire face à une multitude de problèmes et avons travaillé ensemble une bonne partie de toutes ces années. Permettez-nous de nous présenter.

Neil parle de Marilyn

« Marilyn est thérapeute en pratique privée à Los Angeles depuis plus de 25 ans. Ceux parmi vous qui habitez le sud de la Californie ont de la chance, car même si vous ne l'avez jamais rencontrée personnellement, vous avez certainement eu l'occasion de constater sa finesse d'esprit et sa profonde sagesse sur les ondes de la radio et à la télévision. Elle a prouvé sa valeur incontestée comme

psychothérapeute agréée (elle détient une maîtrise de l'Université d'État de San Diego en travail social et a poursuivi sa formation de troisième cycle dans différentes institutions, dont le Southern California Psychoanalytic Institute) à KFI — la principale station de radio avec une tribune téléphonique de la région, où elle a régné pendant huit ans, offrant ses conseils avec attention, gentillesse et une saine dose d'humour. Mais la radio n'a pas réussi à la garder et elle a naturellement été attirée par la télévision pour créer <u>The Marilyn Kagan Show</u> (en nomination pour les Emmy, rien de moins). Cette émission l'a amenée à être appelée comme spécialiste invitée et commentatrice sur tous les grands réseaux ainsi que dans les stations locales pour discuter des problèmes de la vie et des schémas de comportement qui prennent forme dans l'enfance et se poursuivent dans la vie adulte.

Nous ne devrions pas être surpris de son succès en ondes, car elle avait déjà révélé ses talents dans le domaine du spectacle. Au cours de sa vingtaine et au début de la trentaine, Marilyn a réalisé un vieux rêve et s'est produite dans un théâtre local. S'étant fait remarquer, elle a décroché un premier rôle dans le film <u>Ça plane les filles</u>, aux côtés de Jodie Foster. Elle a continué à jouer dans des films et à paraître dans plusieurs séries télévisées populaires, dont <u>Ellen</u>, où elle tenait le rôle d'une thérapeute.

En dehors de ses références professionnelles et de sa visibilité dans les médias, Marilyn est également un membre respecté de sa communauté. Elle a été superviseur en thérapie familiale durant huit ans au Linden Center, à Los Angeles, un centre de traitement à domicile pour les enfants abusés sur les plans affectif et physique. Elle a également cofondé le California Artists Human Services, *un organisme à but non lucratif qui vient à la rescousse des artistes.*

J'ai rencontré Marilyn il y a plus de 20 ans à l'Université du Judaïsme (qui porte dorénavant le nom d'American Jewish University) à Los Angeles, où elle enseignait et enseigne toujours pour le programme Making Marriage Work. Nous sommes devenus collègues et amis de longue date, et maintenant co-auteurs. Elle est fière d'être la maman d'une merveilleuse fille de 11 ans, sensible, amusante et créative… Demandez-lui de vous en parler ! »

Marilyn parle de Neil

« Commençons par régler la question de la grosse artillerie. Neil est psychologue clinicien agréé ainsi que thérapeute familial et conjugal. Il a obtenu son doctorat à l'Université de la Californie du Sud en 1988 et a passé quelques années comme professeur de maîtrise en psychologie à l'Université Antioch de Marina del Rey, en Californie. Son expertise regroupe une vaste gamme de spécialités, dont la dynamique familiale et les relations de couple, les conseils matrimoniaux, les dépendances, le divorce et le travail de deuil.

Neil a passé les 20 dernières années à enseigner le programme Making Marriage Work à l'Université du Judaïsme, où nous nous sommes rencontrés. Il a contribué à élaborer ce programme à l'intention des couples sur le point de se marier. Son principal engagement envers la communauté consiste à diriger des week-ends de groupe dans des cimetières locaux, pour les personnes qui viennent de perdre un être cher.

Bien que Neil ait un bon sens de l'humour, il peut parfois être timide et réservé. Sa femme, Judy, et moi pensons qu'il est adorable. Nous croyons qu'il pourrait être une vedette de cinéma. Mais il tremble à la seule idée de se retrouver face à une caméra : dès que ses trois enfants — tous les trois exceptionnels et remplis d'énergie — sortent leur caméra vidéo, il se sauve. Il est l'heureux papa d'un fils de 17 ans et de deux filles de 14 et de 8 ans. »

À présent, revenons à la préface comme telle

Il y a longtemps que nous souhaitions écrire un livre ensemble. Finalement, nous avons eu l'idée de faire celui-ci, *Les armures du cœur*, parce qu'en traitant des patients depuis de nombreuses années, nous avons été constamment confrontés à une vérité psychologique universelle : quand nous prenons davantage conscience de nos mécanismes de défense et commençons à comprendre comment ceux-ci peuvent à la fois nous aider et nous blesser, notre vie s'enrichit et revêt davantage de sens. Nous croyons que nous devrions tous avoir l'occasion de fouiller en nous-mêmes afin d'identifier ces mécanismes de défense — même sans thérapie — de manière à avoir la chance d'avoir une vie plus gratifiante. Voilà pourquoi nous avons choisi les dix mécanismes de défense affectifs les plus courants que chacun adopte dès l'enfance, croyons-nous, afin de pouvoir faire face à une grande variété de situations nouvelles et de défis. À un moment ou à un autre, nous faisons tous appel à ces méthodes pour nous protéger. Nous les avons appelées les « armures du cœur » et avons élaboré des stratégies pour les gérer.

D'une façon ou d'une autre, un cœur trop blindé est la source de presque toutes les insatisfactions. L'aspiration à une existence plus riche et plus joyeuse est une réalité aussi bien pour ceux d'entre nous qui jouissent d'une famille bienveillante, d'amis et d'une bonne santé que pour ceux qui ont de graves défis à relever. Vous reconnaîtrez ces armures chez votre conjoint, les membres de votre famille, vos amis et vos collègues de travail, tout comme en vous-même.

Au fil des ans, nous avons travaillé avec des milliers de gens, provenant de toutes sortes de milieux : des célébrités, des dirigeants de grands réseaux de télé et de radio, aussi bien que des étudiants, des femmes au foyer, des retraités et de jeunes professionnels. Quelles que soient les circonstances de leur vie ou leur histoire, nous avons découvert que bon nombre d'entre eux ont des angles morts dans leur « champ de vision » affectif, comme tous et chacun d'entre nous.

Comme eux, vous avez peut-être une certaine idée du concept d'un mécanisme de défense, mais vous ne réalisez probablement pas lesquels affectent votre vie personnelle ni comment vous libérer de leur emprise néfaste. Vous voulez changer votre vie, mais n'arrivez pas à voir les chemins, pourtant très évidents, susceptibles de vous conduire vers une plus grande clarté.

Nous avons écrit *Les armures du cœur* afin de vous donner une solide compréhension de base des mécanismes de défense les plus courants, vous enseigner comment reconnaître ceux qui sabotent votre vie, et vous offrir un outil complet conçu pour vous libérer de leurs pouvoirs restrictifs. Considérez cet ouvrage comme un guide destiné à régler les problèmes liés à votre cœur et à votre moi social, et conçu pour comprendre et cerner les mécanismes de défense les plus courants.

Chaque chapitre est consacré à l'un de ces dix mécanismes les plus courants. En psychologie, ils ont des noms :

le *Déni*, la *Projection*, la *Rationalisation*, l'*Intellectualisation*, l'*Humour*, le *Déplacement*, la *Sublimation*, la *Procrastination*, l'*Altruisme* et l'*Agression passive*, mais nous allons démystifier ce jargon afin que vous puissiez facilement les reconnaître en vous-même et chez les autres.

Vous y trouverez également des exercices, des questionnaires, des tests, des activités interpersonnelles et obtiendrez des conseils précis pour vous aider à vous défaire de vos armures. Ces outils psychologiques sont le résultat de plusieurs décennies de travail comme thérapeutes et ont été conçus par essais et erreurs pour aider nos patients (et maintenant vous) à surmonter les barrières affectives du cœur. Ces ressources ont changé la vie de beaucoup de gens et seront tout aussi efficaces pour vous.

Dans chaque chapitre, vous trouverez un encadré intitulé « Au rayon du cœur ». Nous y avons mis des études, des articles publiés et des recherches qui aideront à renforcer notre propos. Tout comme les journalistes ont un « rayon » — un secteur d'expertise qu'ils couvrent — nous considérons le cœur comme étant notre *rayon* en vous transmettant cette information.

Des parties importantes de chaque chapitre relatent des exemples de luttes et de victoires de certaines personnes qui illustrent les problèmes dont nous discutons. Essentiellement, nous vous proposons le processus que nous suivons habituellement lorsque des patients viennent nous consulter. Cela comprend d'examiner leur enfance et leur dynamique familiale, ainsi que de découvrir ce qui se passe dans leur vie actuelle. Nous identifions également les événements et les interactions ayant activé les défenses qu'ils ont mises en place dans l'enfance et qui refont maintenant surface. De plus, nous vous indiquons les exercices et les conseils que nous leur avons donnés. Naturellement, les circonstances de votre vie vous sont propres, mais nous croyons que de lire les histoires des autres vous aidera à comprendre les origines de vos armures.

Tous les témoignages sont véridiques. En raison de la nature de notre travail, nous devons bien entendu préserver la vie privée des patients et tous les noms ont donc été changés. Dans certains cas, nous avons combiné des personnalités différentes afin de mieux illustrer un point. Presque tous les exemples présentés sont tirés des histoires de ceux que nous avons traités individuellement et en groupe. Certains dont nous révélons la vie ne nous ont pas consultés en thérapie, mais nous avons eu la chance de les connaître en tant qu'amis ou collègues.

Nous avons par ailleurs inclus les histoires de célébrités et autres personnalités du show-business qui ont forgé leur propre voie en apprenant à cerner et à gérer leurs armures du cœur. Elles racontent leur expérience dans leurs propres mots et nous avons appelé ces histoires des «récits vécus», d'après la tradition hawaïenne de transmission orale. Nous leur avons consacré un chapitre entier, à la fin, après avoir expliqué les dix mécanismes de défense. En lisant le cheminement que d'autres personnes ont fait en devenant plus attentives à leur façon de vivre au quotidien, vous prendrez connaissance de leur croissance. Vous apprendrez comment elles ont accédé à leur être intérieur pour se réconcilier avec leurs armures et, dans certains cas, ont réussi à transformer ces habitudes et ces comportements en des ressources qui travaillent en *leur* faveur plutôt que le contraire.

Chaque personne, dont l'histoire figure dans ces pages, a ajouté de la richesse à nos vies et à cette entreprise. Nous vous avons confié nos histoires professionnelles et personnelles afin que vous puissiez identifier les situations et les sentiments correspondant à votre vie.

Personne ne peut nier que le cœur mérite la meilleure protection possible, mais vous ne pouvez pas le barricader non plus. Pour pouvoir jouir de la vie, vous devez garder votre cœur en contact avec le monde : donner et recevoir de l'amour, vous intéresser aux autres, choisir des activités et des causes qui créent une vie bien remplie. Il s'agit là de l'une des tâches les plus fondamentales à l'amélioration de votre bien-être psychologique. Nous espérons que vous l'entreprendrez, le cœur consentant… de manière à *ouvrir* votre cœur et, par conséquent, à pouvoir vivre et aimer pleinement. Finalement, ce livre traite de la sagesse du cœur, car il vous permettra de savoir quand, où, pourquoi, et comment ouvrir le vôtre aux nombreuses possibilités qui vous invitent à une existence plus complète et profondément satisfaisante.

INTRODUCTION

Pensez à votre cœur pendant un instant. Dans notre culture, nous le considérons comme le siège des sentiments et des émotions et nous nous inquiétons tous de sa vulnérabilité! Nous assistons depuis des décennies à une surabondance de chansons populaires évoquant nos peurs universelles. Il y a les complaintes telles que « What becomes of the broken-hearted » et les demandes poignantes comme « Un-break my heart ». Qui n'a pas un jour ressenti avoir un « Hungry heart », été en quête d'un « Heart of gold » ou à la merci d'un « Cold cold heart » ?

Si vous êtes comme la plupart d'entre nous, vous vous considérez comme une personne sincère. Vous êtes gentil. Vous faites des choses pour les autres. Vous pensez être digne de confiance et généreux.

Mais la vérité est que la majorité d'entre nous ne sommes pas vraiment aussi sincères que nous le croyons. Et il y a une bonne raison à cela. Notre cœur nous est précieux.

Il mérite d'être traité avec douceur et protégé. Et, à cette fin, dès la prime enfance, nous commençons à l'armer en lui érigeant des barrières de protection. C'est une étape nécessaire dans le développement de chacun. Nous adoptons des habitudes et attitudes sans lesquelles notre cœur serait *trop* vulnérable, trop facilement heurté par des personnes et des situations blessantes, ou simplement qui ne nous conviennent pas et ne correspondent pas à la vie que nous désirons mener. Ces habitudes et attitudes sont ce que nous appelons les *armures du cœur*.

Il est parfaitement naturel et nécessaire de nous servir de ces mécanismes de défense dans la tendre enfance, alors que nous nous demandons comment tracer notre chemin dans la famille, à l'école et avec les amis. Et bien que ces armures puissent nous protéger quand nous sommes très jeunes, elles sont en fait susceptibles de nous blesser à l'âge adulte. À moins d'en prendre conscience et d'y devenir attentifs, ces barrières ont tendance à continuer de fonctionner à la manière d'un logiciel informatique qui agirait constamment en arrière-plan, en catimini, et bloquant notre évolution. Avec le temps, ils deviennent tellement présents qu'ils se transforment en blocus.

En surface, ces mécanismes peuvent sembler très différents. En fait, ils ont un objectif commun. Vous avez certainement entendu parler de certains d'entre eux — *le Déni, l'Humour, la Procrastination* et *l'Agression passive*, par exemple — car ils font désormais partie de notre vocabulaire (même si nous ne les utilisons pas toujours dans leur sens exact). Mais certains sont moins connus : *la Projection, la Sublimation, l'Altruisme, le Déplacement, la Rationalisation* et *l'Intellectualisation*.

Vous étiez tellement jeune quand vous avez construit vos mécanismes de défense que vous avez maintenant l'impression qu'ils sont une seconde nature. Ces armures se sont forgées autour de votre cœur pour vous protéger contre la peur, l'anxiété et les tensions que vous ne pouviez tout simplement pas affronter.

Prenons le cas de Ricky. C'était un bébé adorable. Bien que son père et sa mère vénéraient jusqu'au sol sur lequel il rampait, ceux-ci en avaient plein les bras de prendre soin de lui et de ses deux frères aînés. Lorsque Ricky faisait la sieste, sa mère se concentrait sur sa nouvelle entreprise à la maison, et le père s'occupait des deux autres enfants. Quand Ricky a eu un an, ses parents ont commencé à le laisser pleurer un peu plus longtemps qu'avant à son réveil. À cause de cette première contrariété dans sa vie, et compte tenu des autres événements positifs et négatifs qui se produisaient dans son univers, Ricky a développé une façon de se protéger de la déception. Pour pouvoir supporter l'inconfort qu'il ressentait quand ses parents ne répondaient pas à ses pleurs, il s'est tourné vers sa « doudou » de plus en plus souvent. Ricky avait trouvé un moyen de se consoler quand il ressentait la souffrance de ne pas recevoir de gratification immédiate.

Comme chacun d'entre nous, Ricky avait trouvé un moyen de faire face aux déceptions et aux frustrations de la vie. C'est normal. En grandissant, ses premières formes de relation avec le monde se sont intégrées à sa personnalité. Souvent, sans s'en rendre compte, il faisait appel à ses mécanismes de défense quand il ressentait de l'inconfort et du stress.

Maintenant que Ricky est devenu un homme, il peut généralement accepter les choses comme elles se présentent. Il est patient et, à titre de courtier en bourse, il est capable de supporter le stress de Wall Street. Tous ses collègues viennent le voir pour obtenir du soutien et des conseils, et son mariage est solide. Toutefois, il arrive à Ricky d'avoir du mal à se confier à sa femme quand il a peur, qu'il se sent frustré ou incertain. Quand il est confronté à ces sentiments, le mécanisme de défense qu'il a développé dans l'enfance vient à la rescousse. Il se replie sur lui-même pour se consoler, comme un bébé qui cherche réconfort auprès de sa « doudou », plutôt que de croire qu'il pourrait confier sa vulnérabilité à sa femme et permettre à celle-ci de l'apaiser.

Récemment, le marché boursier s'est effondré et Ricky a pris tout le poids de la responsabilité. Il se sentait entièrement seul avec ses inquiétudes et distant de sa femme. Il était incapable de voir la précieuse ressource affective qu'il avait sous le nez — sa femme aimante qui voulait être là pour lui et le décharger de son fardeau. Ricky était sûr que sa femme trouvait cette situation trop drainante et que ses états d'âme allaient la déranger. Il était certain qu'elle se sentirait accablée par ses difficultés s'il lui en parlait. En laissant son armure se mettre en place sans la remettre en question, il a temporairement perdu le contact avec sa femme, qui non seulement était disponible pour le réconforter, mais souhaitait vivement soutenir son mari. S'il avait choisi de la laisser faire et cessé de projeter sur elle ses sentiments de honte et de besoin, il aurait ressenti un lien plus profond avec elle et eu l'impression d'être moins seul. S'il avait nourri ce lien avec elle, sa vie aurait été plus complète et elle aurait eu plus de sens.

Tout comme pour Ricky, vos propres armures continuent de venir à la rescousse quand la vie prend des tournures inattendues. Vous en avez besoin pour survivre, sauf que trop de quelque chose de bon peut finir par être mauvais. Résultat : vous êtes pris en otage par vos armures qui travaillent trop fort, trop souvent. Ces mécanismes de défense blindent votre cœur et l'empêchent d'essayer de nouvelles voies, de meilleures, pour mieux vivre. Ils vous gardent dans des modèles insatisfaisants.

Malheureusement, à moins d'en prendre conscience, ces habitudes de protection que vous avez développées il y a longtemps peuvent détruire votre bonheur. Notre expérience comme thérapeutes nous a montré que toutes les personnes que nous avons conseillées avaient besoin de reprendre la maîtrise d'une ou de plusieurs de leurs armures du cœur. Ce qu'il faut savoir à leur sujet, c'est qu'avec le temps, elles deviennent tellement enracinées que face à des situations contrariantes, vous y revenez insensiblement chaque fois. Elles semblent être des réactions normales. Toutefois, ces mécanismes annihilent une bonne partie de la joie que vous pourriez éprouver dans votre vie, sans compter qu'ils peuvent en fait empêcher et même détruire tous les bons sentiments qu'ils étaient censés préserver à l'origine.

Il y a une bonne nouvelle, cependant. Quand nous avons eu le privilège d'aider des gens à apprendre à reconnaître leurs armures, ils ont ensuite été capables de les ramener à des niveaux plus sains. Le résultat est toujours un cœur plus heureux, un sentiment de paix, d'accomplissement, de satisfaction, et de plénitude.

Le cœur en cage

Tout ce temps, bien sûr, c'est de votre cœur affectif dont nous avons parlé. Pour vous aider à avoir une idée précise de la façon dont les armures que vous avez forgées travaillent contre vous, nous voulons vous en offrir une illustration concrète. Songez un instant à votre cœur physique : ce petit muscle rouge qui pompe dans votre poitrine et vous garde en vie. Comment est-*il* protégé ?

La nature lui a donné une armure ingénieuse : une cage thoracique solide mais constituée de côtes légères et flexibles. Pour utiliser un terme d'ingénieur en structures, votre cage thoracique est « élégante ». Elle remplit son rôle grâce à une conception éminemment efficace et la juste quantité de matériaux. Mais que se passerait-il si cette cage élégante était construite différemment ? Imaginez les conséquences s'il s'agissait d'une cage thoracique faite d'un bloc.

Il existe en effet une maladie rare et dramatique appelée *Fibrodysplasie ossifiante progressive* qui entraîne l'ossification là où il ne faut pas. Avec le temps, cela restreint la mobilité de la personne atteinte au point qu'elle en vient à ressembler à une statue. À moins que vous n'ayez un lien de parenté très étroit avec une victime de cette maladie, il y a très peu de risques que vous en soyez affligé. Mais imaginez un instant : que se passerait-il si une étrange maladie ossifiait tous les espaces entre vos côtes ?

D'abord, votre corps serait plus lourd à déplacer. Ensuite, il deviendrait si rigide que même vous pencher serait impossible. Chaque fois que vous voudriez saisir quelque chose, vous devriez utiliser toute la partie supérieure de votre corps, en bloc. Sans votre souplesse normale, vous auriez par ailleurs du mal à garder l'équilibre.

C'est ce qui se passe avec notre moi affectif — habituellement sans que nous en ayons conscience — lorsque nos armures sont trop épaisses. Nous nous déplaçons comme des robots. Nous devenons inflexibles. Nous avons du mal à atteindre les choses que nous désirons. Nous devenons maladroits socialement et affectivement. Nous devons lutter pour garder l'équilibre. Pire, nous sommes incapables d'ouvrir nos cœurs aux personnes et aux expériences que nous voulons, dont nous avons précisément besoin, ainsi qu'à l'amour. Cette façon de vivre est très limitée et également très malsaine. Nous pensons tous deux que ces armures du cœur sont la première cause de l'absence de bonheur, de l'isolement et de la déconnexion.

Une fois que nos défenses deviennent des réactions, elles travaillent contre nous. Elles nous empêchent de vivre des expériences nouvelles et stimulantes, d'élargir nos horizons, de construire de meilleures relations amoureuses et d'avoir une vie plus enrichissante.

Ce n'est que lorsque vous arriverez à ressentir tout le poids de vos émotions que vous pourrez trouver la plénitude dans votre vie.

Prenez conscience que vous n'êtes pas la seule personne à croire qu'une vie plus complète et plus agréable n'est pas vraiment accessible. L'insatisfaction et le chagrin sont une véritable épidémie. Dix millions d'Américains absorbent des antidépresseurs, et au moins un sur cinq souffre de maladie mentale à un moment ou l'autre de sa vie. Les coûts attribués à la consommation de drogues illicites sont estimés à plus de 100 milliards par année, et l'abus d'alcool compte pour plus du double de cette somme. Dans presque tous les cas, les gens qui prennent trop de médicaments tentent de se «soigner eux-mêmes» à cause d'une dépression non diagnostiquée.

Nous sommes conscients des différents problèmes et de l'insatisfaction dans nos propres vies, mais nous savons tous que certains semblent «tout avoir» pour être heureux : des enfants formidables et une conjointe qu'ils sont contents de retrouver le soir venu. Même le chien se réjouit à leur retour !

Leur revenu leur permet de régler les comptes chaque mois sans que leur mode de vie en soit affecté. Ils ont les moyens de jouir de vacances en famille chaque année. Il y en a peut-être même parmi ces chanceux qui ont réussi à mettre de l'argent de côté pour leur retraite ou pour les études universitaires de leurs enfants. Il semble qu'ils sont exactement là où ils voulaient être. Bref, ils ont une bonne vie.

Bien sûr, il se peut qu'ils doivent supporter le stress et les contraintes inhérentes à un agenda chargé. Ils rêvent peut-être d'avoir plus d'argent, une plus grande maison, des vacances plus huppées, moins de cholestérol, ou des querelles moins fréquentes avec les enfants ou leur partenaire à la maison. À part quelques petits accrocs, leur vie est relativement lisse : pas de drames majeurs. Et pourtant, bon nombre de ces personnes qui semblent avoir une vie choyée ressentent un vide au creux de l'estomac, comme si quelque chose leur manquait. Elles se posent des questions du genre :

- Quel est mon problème ?

- Pourquoi est-ce que je me sens si vide et déprimé ?

- Qu'est-ce qui ne va pas chez moi, alors que tout semble bien aller ?

- Qu'est-ce qui pourrait bien me manquer puisque la vie me sourit ?

- D'où vient ce manque de satisfaction ?

Ce désir ardent d'apaiser un cœur meurtri n'a rien de nouveau. De grands savants, des penseurs, des guides spirituels et des leaders religieux à travers les siècles ont

tous avancé des explications à ce malaise. En dépit des appa-
rences, le fait est que nous avons tous des armures ; et à un
moment ou l'autre, celles-ci contribuent à faire surgir ce
genre de questionnement.

Nous avons découvert que la plupart d'entre nous
sommes plus empêtrés dans un de nos mécanismes de
défense que dans d'autres, tout comme notre ami Ricky qui
avait adopté la Projection (dont nous parlerons au chapitre 2).
Suivant la façon dont vous réagissez à ce qui se passe dans
votre vie, il se peut que vous alliez au-delà de votre mécanisme de défense le plus usuel et fassiez appel à différents
autres pour vous protéger. Par exemple, vous avez peut-être
maîtrisé l'Humour (chapitre 5) au collège quand vous avez
découvert que de vous moquer habilement d'un camarade
vous retirait votre sentiment d'insécurité. Ou alors, afin
d'éviter la douleur de la défaite en perdant votre premier
emploi, vous avez trouvé une raison pour justifier votre
congédiement plutôt que de ressentir le rejet : vous avez fait
appel à la Rationalisation (chapitre 3).

En connaître davantage au sujet de vos armures et
savoir comment les utiliser dans certaines situations stres-
santes et angoissantes vous aidera à devenir maître de votre
destinée. Plutôt que d'en subir les affres sans en être conscient, vous baisserez la garde et saurez faire en sorte que vos
défenses vous servent au lieu de vous bloquer.

Le moment propice

Prenons, par exemple, Brian et Jerry, deux hommes à
la fin de la quarantaine. Ils ne se connaissent pas, mais
ont beaucoup en commun. Brian est beaucoup trop gros.
L'hypertension et la cardiopathie sont choses courantes
dans sa famille. Jerry est obèse lui aussi et c'est un maniaque

du travail. Son père est gravement atteint de diabète de type 2. Brian et Jerry se rendent régulièrement chez le médecin et se font dire qu'en raison de leur poids, de leur mode de vie et de leurs antécédents familiaux, ils sont à deux doigts de la catastrophe.

Comment chacun réagit-il à la situation ?

Brian sort du cabinet médical abattu, mais se dirige tout droit vers son resto de malbouffe favori. Il y dévore des frites accompagnées d'une boisson gazeuse, puis retourne au travail.

Jerry quitte son médecin, ébranlé. Il reste assis un moment dans sa voiture et se demande ce que sa femme et ses enfants feraient sans lui. En retournant à son bureau, il songe sérieusement aux changements qu'il doit apporter pour prolonger sa vie.

Deux individus. Circonstances similaires. Deux réactions très différentes.

Brian balaie la perspective de la mort sous le tapis. Il ne se permet pas d'être touché par cette réalité médicale, même pas une minute. Il se sert du Déni (chapitre 1) et gère son stress et sa peur de la façon qu'il connaît, c'est-à-dire en mangeant mal… une bonne manière de raccourcir ses jours. Son armure du cœur fait du temps supplémentaire.

Jerry, en revanche, accepte d'être ébranlé par les propos de son médecin. D'une certaine façon, il résiste à l'angoisse et à la terreur de ce diagnostic suffisamment longtemps pour échapper à l'envie de l'écarter du revers de la main. Il s'engage à prendre des mesures pour éviter la catastrophe. Son armure du cœur, le Déni dans son cas également, s'est affaiblie. Et c'est très bien ainsi.

Alors, pourquoi Jerry quitte-t-il le cabinet du médecin en réagissant au diagnostic de façon tellement différente de celle de Brian ? Parce qu'il a *consenti* à être ébranlé. Il a *accepté* l'émotion et a été assez courageux pour la vivre. Il a *consenti* à supporter l'inconfort et la peur, afin de les ressentir pleinement. Il a jeté la serviette parce qu'il en a eu assez d'en avoir assez. Jerry était prêt à ouvrir son cœur. Cette partie de lui, secrète et préservée, était prête à mettre au jour ce qui avait le plus de sens pour lui. Il était prêt à réagir différemment qu'il ne l'aurait fait auparavant.

La plupart d'entre nous réagissons comme Brian. Nous sortons d'un événement troublant comme si de rien n'était. Nous ne *consentons* pas à être affectés. Que nous le sachions ou non, nous passons une grande partie de notre vie à écarter les émotions affolantes, inconfortables ou inhabituelles. Mais en essayant, nous pouvons réagir comme Jerry. Il est possible de tirer de nos expériences personnelles ce qui compte le plus, de remarquer ce que nous ressentons, puis de commencer à *guérir*.

Chacun a son propre rythme et le moment propice pour lui indiquer quand il est prêt à faire un changement. Certains d'entre nous y sont poussés par un événement traumatisant et sont alors prêts à tourner la page. D'autres connaissent de petites expériences négatives qui finissent par s'accumuler jusqu'à ce que leur poids devienne insupportable et qu'ils soient alors prêts à passer à autre chose. Enfin, il y a ceux qui attendent simplement le lundi ou le début de la nouvelle année pour faire des changements.

Il n'y a pas de bon ou de mauvais moment. Le bon moment, c'est lorsque *vous* êtes prêt. Dès lors, vous prendrez la vie à bras-le-corps. Et comme vous avez décidé de lire l'ouvrage que vous avez entre les mains, nous sommes relativement sûrs que votre état d'esprit est semblable à celui de Jerry : vous êtes prêt à passer de l'inaction à l'action pour enfin jouir d'une vie remplie de satisfaction et de joie.

En développant l'aptitude de tolérer nos émotions et de les observer sans en avoir peur, nous finissons par prendre conscience de quelque chose de très puissant : nous pouvons choisir la façon de combler le vide de notre existence… ou, comme Jerry, d'éviter la catastrophe.

Bien entendu, il n'est pas facile d'effectuer cette transformation, c'est-à-dire de réduire l'emprise de l'armure de votre cœur. Il y a un demi-siècle, Shakespeare a écrit que les défauts des hommes leur sautent rarement aux yeux. C'est tout aussi vrai aujourd'hui : les armures du cœur ne nous sont révélées que par une aide extérieure. Considérez ce livre comme cette « aide extérieure ».

Grâce aux récits et aux exercices qui figurent dans les pages à venir, vous commencerez à vous diriger vers la liberté. En prenant connaissance de l'expérience des autres, vous y reconnaîtrez des parties de vous-même et apercevrez les moyens à prendre pour commencer à trouver plus de satisfaction dans votre vie. Vous accéderez à votre cœur. Dans le processus, vous serez plus bienveillant pour vous-même et il en résultera une générosité d'esprit à l'égard des autres. Vous la verrez s'épanouir ! En fin de compte, votre vie sera vraiment plus exaltante. Et alors, pour finir comme nous avons commencé — avec une chanson — vous vivrez « cœur et âme ».

Chapitre 1

AFFRONTEZ VOS PEURS ET DOUTES : REPOUSSEZ LE *DÉNI*

<u>Définition du *Petit Robert*</u>

Déni : refus de reconnaître une réalité dont la perception est traumatisante pour le sujet.

Le *Déni* vient en tête de liste des armures du cœur, et il n'y a rien d'étonnant à cela. C'est le principal, *el numero uno*, le grand *kahuna*, le Kilimandjaro des dix, et pour une bonne raison. La plus courante des armures du cœur, le Déni influence tous les aspects de la vie. Les autres mécanismes de défense possèdent également des éléments de celui-ci : écarter, refuser, reporter et/ou ignorer les émotions. Il y a donc un peu de Déni dans chacun des neuf autres. Bien que chaque mécanisme soit unique, tous comportent du Déni afin de vous permettre de croire que vous surmonterez la journée.

Faisons un saut dans la réalité dès maintenant. Il est impossible que tout marche comme sur des roulettes tous les jours dans ce monde, pour qui que ce soit. Oh, vous le saviez déjà ? Nous aussi. Oui, la vie est pleine de douleur, de souffrances, de mauvais moments, de défis difficiles et aussi de circonstances tout simplement pénibles. *Ouille !* Nous conviendrons avec vous que ce n'est pas une façon très joyeuse de commencer à réfléchir au bonheur et à la clé de la satisfaction que vous êtes sur le point de découvrir. Ironiquement, toutefois, ce n'est que confronté aux dures réalités de la vie que vous pouvez faire surgir cette existence étonnante, merveilleuse, spéciale, glorieuse, gigantesque, inspirante, et comblée à laquelle vous aspirez.

Mais la peur vous envahit quand vous craignez d'être blessé ou déçu. Ou lorsque les choses ne vont pas bien et que vous ne savez pas comment ça va finir. Plutôt que d'affronter les circonstances difficiles, douloureuses et inconfortables, vous les rejetez en faisant comme si elles n'avaient jamais eu lieu. Vous pensez que si vous tombez face à face sur ces Pères fouettards — ces monstres inconnus et cachés — vous risquez de vous désintégrer en un petit tas de cendres.

Les croquemitaines se présentent sous différentes formes. Pour vous, cela pourrait signifier une visite chez le médecin à cause de ce problème de peau que vous ignorez depuis des mois, monter sur le pèse-personne parce que la taille de votre pantalon augmente chaque mois depuis un an, enfin tenir compte des hauts et des bas de votre partenaire ou admettre la réalité que votre fils arrive tard les jours d'école et semble agité et distant. Qu'il soit réel ou imaginaire, votre Père fouettard instille la peur en vous. Qui voudrait confronter son croquemitaine ? Le simple fait de le savoir là, quelque part, peut être terrifiant en soi. Vous vous inquiétez sans doute de ne pas trop savoir comment faire face au problème ou à la situation, ainsi qu'aux émotions qui en découleront.

Alors, que faites-vous pour être sûr de pouvoir affronter les déceptions, les chagrins et les peurs ? Que faites-vous pour vous assurer de ne rien laisser entraver votre bien-être ? Vous érigez une barrière très séduisante et très habile qui, pour le moment — et c'est là la formule clé : *pour le moment* — protégera votre cœur contre les déceptions, les frustrations, les inquiétudes et la souffrance. Ainsi, vous mettez de côté vos émotions et utilisez cet indéniable mécanisme de défense : le Déni.

Même si le Déni vous dessert considérablement en raison de l'ignorance et du refus qui l'accompagnent, il remplit parfois une fonction importante : protéger et défendre. En réalité, sans votre bon ami le Déni, vous ressembleriez à une plaie ouverte qui attend que l'infection s'installe !

Quand le Déni fait du bien

Le Déni vous permet de continuer lorsque vous vous sentez menacé par l'anéantissement total. C'est ainsi que vous pouvez survivre à des événements insurmontables. Pensez à un couple uni et heureux depuis 30 ans. Lorsque le mari meurt subitement, la femme doit planifier les funérailles dans tous les détails. Ce n'est qu'en se réfugiant dans une forme de Déni qu'elle peut survivre à sa douleur. Quelques semaines plus tard, seule dans un lieu tranquille, elle laisse éclater sa profonde souffrance. Le Déni l'a accompagnée pendant qu'elle faisait «ce qu'il y avait à faire». Mais à présent, il cède la place aux émotions qu'elle doit vivre.

Ce n'est pas seulement face aux événements dramatiques de la vie que le Déni peut nous aider. Nous nous en servons au quotidien également. Par exemple, pour nous rendre chez le thérapeute, nous empruntons les autoroutes les plus achalandées du monde. Los Angeles est une ville où les voitures filent à des allures folles. Si nous n'adoptions pas une forme de Déni tous les jours, il nous serait impossible de sortir de la maison et de faire face à la circulation.

Presque tout le monde est conscient des risques de conduire : une crevaison, un caillou dans le pare-brise, une contravention ou — grands dieux non ! — un grave accident. Mais il n'est pas possible de vivre chaque minute dans un état de conscience exacerbé. Le Déni devient pratique pour vous permettre de prendre le volant. Vous vous sentiriez beaucoup trop vulnérable si vous pensiez à chaque instant : *Que va-t-il se passer si… ?* Vous arrivez à conduire parce que vous avez activement pris la décision de mettre temporairement la réalité de côté et d'y aller. Cela devient une seconde nature et vous ne songez même pas à vous dire : *Bon, maintenant, je ne vais pas penser aux dangers de la conduite automobile.* Dans ce cas, vous vous servez sainement de ce mécanisme de défense.

Le Déni n'est pas au centre de vos préoccupations. C'est comme la respiration : vous savez (ou dans le cas du Déni, vous *pensez*) que vous devez respirer pour survivre, mais vous n'y prêtez pas vraiment attention à moins d'avoir un problème respiratoire. Cette armure du cœur peut vous sauver la vie quand elle vous aide à traverser certaines situations inconfortables.

Toutefois, comme pour tous les mécanismes de défense, celui-ci devient souvent un obstacle important à une vie plus satisfaisante quand il vous empêche systématiquement de vous connecter à vos émotions. Utilisé à cette fin, le Déni est dangereux car il vous garde à l'écart de votre entourage et, surtout, de vos besoins et de vos désirs, affectant ainsi votre épanouissement. C'est l'utilisation malsaine de cette armure.

Toutes les preuves du contraire

Lorsqu'une armure du cœur remplit son rôle, elle vous détourne des émotions que vous craignez d'éprouver. Si c'est efficace, vous ne ressentez pas d'inconfort. Le Déni malsain, tout comme le sain, veille à étouffer les émotions. Toutefois, ce type de Déni est une fuite dans le refus complet de voir votre comportement ou ses conséquences. Vous êtes dans l'aveuglement.

Prenons le type qui déclare : « Je ne bois que de temps en temps et je peux m'arrêter quand je veux ». Il refuse de voir qu'il saute sur un verre dès qu'il met les pieds chez lui après le travail. C'est quelqu'un qui s'est déconnecté de ses émotions et souvent de celles de son entourage également.

Notre patient Tom ressemblait à ce type : il se servait d'une forme de Déni malsain pour éluder les peurs sous-jacentes avec lesquelles il vivait. Tom avait 44 ans et a eu une enfance difficile. Même s'il savait que ses parents auraient donné leur vie pour lui et sa sœur, le fait est que son père était un homme angoissé et malheureux qui fréquentait les bars de Boston presque tous les soirs. Selon Tom, sa mère était une « sainte ». Elle savait que son mari buvait beaucoup, mais elle lui trouvait toujours des excuses. Elle prenait tout sur ses épaules, et quand il décevait les enfants, elle se tapait la double tâche d'assister aux matchs de lutte de Tom ainsi qu'aux pièces de théâtre de sa sœur, même quand elle n'en avait pas le temps. Lorsqu'il ne buvait pas, le père de Tom était froid et n'exprimait pas ses émotions. Mais il lui arrivait parfois d'avouer à son fils qu'il se sentait coupable d'être absent. Tom avait juré que lorsqu'il aurait une famille, il ne boirait jamais à l'excès.

Tom était un homme calme comme son père, mais il avait un certain sens de l'humour malicieux et une tendance à rire de lui-même. Sa douceur et sa vison perspicace de la vie avaient conquis Rachel, sa femme depuis 14 ans. Ses parents étaient décédés depuis quelques années. Sa sœur vivait à plus de deux mille kilomètres, dans leur ville d'origine, et elle manquait à Tom. Il se sentait triste que sa fille de 12 ans, Jessie, ait peu de contacts avec sa tante. Parce qu'une belle occasion d'emploi s'était présentée dix ans auparavant, Tom avait dû déménager à Los Angeles. Il entrevoyait alors une vie prospère pour lui et sa famille. Mais récemment, sa vie professionnelle avait commencé à péricliter.

Plus la tâche était lourde au travail, plus il passait de soirées à avaler «juste un autre petit Scotch pour oublier cette dure journée». Peu à peu, les martinis du lunch sont venus s'ajouter aux boissons du soir. Pourtant, quand on lui parlait, Tom minimisait constamment sa consommation d'alcool.

L'employeur de Tom avait récemment commencé à sous-traiter une bonne partie des contrats de diagnostic informatique pour les entreprises inscrites dans Fortune 500, dont Tom s'occupait à l'interne. Il craignait qu'avant longtemps, il ne devienne un «dinosaure» dans son domaine. Mais il se détachait de ses inquiétudes au sujet de son travail. Il avait l'impression de ne pas avoir le droit, en tant que «mâle», de se plaindre (l'ombre de son père) ou de parler de ses angoisses avec qui que ce soit, encore moins avec Rachel et Jessie.

Tom buvait plus que jamais et sa famille était effrayée par son changement de comportement et son détachement de plus en plus prononcé. Tom vivait un cas classique de Déni. Il refusait d'accepter ce qui se passait ou ce qui *pouvait* arriver s'il continuait dans la même voie.

Comme bon nombre de gens qui vivent avec des êtres chers qui utilisent l'alcool ou les médicaments pour anesthésier leur douleur et leur souffrance, Rachel en est arrivée à un point où elle ne pouvait plus tolérer le comportement de son mari. Elle provenait, elle aussi, d'un milieu alcoolique : elle avait l'habitude de trouver sa mère endormie sur le divan quand elle rentrait de l'école et connaissait donc très bien les dégâts que cette dépendance pouvait causer dans une famille. Elle avait bien remarqué l'augmentation de la consommation de son mari et a fini par arriver au point de non-retour. Elle lui a donné un ultimatum : s'il n'allait pas chercher de l'aide afin de modifier son comportement, elle allait partir avec Jessie.

Écoutez vos proches. Si des êtres chers, des collègues ou connaissances vous disent plus d'une fois qu'ils sont préoccupés par votre attitude, votre façon de vivre et votre comportement, soyez assuré qu'il y a un problème. Nous appelons cela le *moment de vérité*. Si vous n'en tenez pas compte, le problème ira en s'amplifiant. Alors que si vous en prenez conscience, *vous* avez toutes les chances de grandir, ce qui, sans aucun doute, est la meilleure voie à suivre.

Alors, toujours dans le Déni complet, Tom est venu en thérapie malgré ses réticences du départ. Il a travaillé avec nous. Après avoir établi une relation de confiance avec lui, nous étions renversés de constater l'emprise extrême de son mécanisme de défense. Il ne pensait pas que sa consommation avait tellement d'importance. Pire, il ne faisait pas le lien entre ses peurs au niveau professionnel et cette consommation.

Nous savions que le travail serait ardu. Lui faire admettre ses inquiétudes serait la première étape pour déjouer son armure bien enracinée. Il nous fallait arriver à accéder à son cœur afin qu'il réalise les peurs qui l'empêchaient de vivre pleinement.

Pour pouvoir déjouer le Déni, il est impératif de commencer à prendre conscience de ce qui cause votre déséquilibre.

Durant nos premiers entretiens, nous avons remarqué à quel point Tom était accablé et triste. Lorsque nous le lui avons fait remarquer, il était à la fois surpris et soulagé que quelqu'un ait vu la profondeur de son désespoir. Tom sentait que nous le comprenions. Le contact nous a permis de poser des questions sans arrière-pensées, au sujet de son passé et de sa vie actuelle. Nous avons sympathisé avec lui lorsqu'il a mentionné que les choses changent trop rapidement dans le monde d'aujourd'hui. Nous avons exploré ce que ces changements signifiaient pour lui et l'avons encouragé à réfléchir aux options possibles advenant que sa vie professionnelle essuie un revers.

Tandis que nous discutions de son enfance avec un père alcoolique, nous l'avons amené à faire une prise de conscience : comme il avait dû être difficile pour lui d'être un enfant qui aimait un père qui semblait plus intéressé par la consommation d'alcool que par son fils. En découvrant sa douleur intérieure, Tom a tissé un lien important : il a commencé à se demander ce que sa fille Jessie pouvait ressentir en rentrant à la maison pour trouver *son* père un peu éméché tous les soirs. Nous avons pu fournir à Tom un lieu sûr où il pouvait commencer ne serait-ce qu'à prendre conscience qu'il *était* en détresse.

Dans ce lieu sûr, Tom a pu divulguer ce qui l'affectait le plus. Afin d'accélérer le processus, il devait porter attention à son instinct, à ses sensations physiques : le serrement dans la poitrine, le souffle court et le mal de gorge qui l'affligeait depuis des mois.

Tom a fini par se mettre au même diapason que nous. Dans le cadre d'un environnement sécuritaire et encourageant, il vivait des prises de conscience et de la tolérance avec nous et en lui-même. La perspicacité et l'humour de Tom s'épanouissaient de nouveau. Sur un ton taquin, il a admis éprouver certaines émotions dont il ne tenait pas compte. Après tout, il plaisantait lui-même en se disant « étouffé » et que c'était peut-être ce qui causait son mal de gorge ! Alors, nous avons saisi la balle au bond et l'avons aidé à passer à l'étape suivante :

Il fallait que Tom se pose des questions difficiles. Il devait chercher à savoir ce qui se passait en faisant une introspection et en s'informant auprès de ses proches. En collaboration avec eux, il devait aller dans les détails :

1. À quel moment avait-il commencé à boire.

2. La fréquence de sa consommation : combien de fois, quand et où il buvait.

3. La progression de sa consommation — comment celle-ci avait augmenté au cours de la dernière année.

4. Les conséquences de son comportement (dans son cas, sa consommation) sur sa santé, ses finances, ses amitiés, son emploi, son mariage et sa fille.

En ce moment, est-ce que vous commencez à vous sentir inconfortable en pensant que *vous* avez quelque chose en commun avec Tom ? Quelle est votre forme « d'évasion » ? Est-ce que vous vous anesthésiez comme lui dans l'alcool ? Ou bien, dans votre cas, est-ce la nourriture ? Les pilules ? Le jeu ? Le sexe ? La pornographie sur Internet ? Le shopping ? Si oui, vous devez répondre aux questions que nous avons posées à Tom.

Il était important que Tom ne se limite pas à une enquête interne car, rappelez-vous, il était dans le Déni et aurait pu ne pas être franc. Une enquête externe — c'est-à-dire un « moment de vérité » avec ceux qui lui tiennent le plus à cœur — était encore plus importante. Pour Tom, c'était un moment crucial pour prendre la maîtrise de son système de défense. En posant des questions aux êtres chers et en se connectant à ses sensations physiques, il a été en mesure d'être touché par les réponses de Rachel et de Jessie comme jamais auparavant. Il ne pouvait plus nier que son comportement avait un effet profond sur ceux qu'il aimait.

Ce fut le vrai point de départ de Tom dans sa lutte contre son principal mécanisme de défense. Le Déni s'effritait. Sa conscience de lui-même et de ses comportements devenait le centre de ses préoccupations. Et, pour la première fois, il s'est senti capable de dire à Rachel et à nous-mêmes à quel point l'incertitude de sa situation professionnelle lui faisait peur. Il a commencé à faire le lien entre ses peurs sous-jacentes et sa trop grande consommation d'alcool. Non seulement il a cessé de penser que c'était « indigne d'un homme » d'en parler à Rachel, mais le contraire s'est produit : il se sentait plus fort et plus sûr de lui.

**Au cours de nos années de pratique,
une certitude incontestable s'est installée :**

**si vous parlez de vos émotions humiliantes
et honteuses, leur pouvoir diminue
et vous devenez plus fort et plus capable.**

Compte tenu de la force que Tom avait reconquise, nous lui avons dit qu'il était impératif de porter désormais attention à son emploi du temps. Rentrer à la maison le soir avait été le plus gros déclencheur au cours de la dernière année. Déboucher une bouteille de vin était sa façon de s'isoler et de se replier sur lui-même. Les déjeuners de travail déclenchaient aussi son angoisse et ses inquiétudes et les martinis sont devenus des copains réconfortants. Il devait remarquer comment il se sentait dans ces moments-là et ce qui se passait dans son corps et dans sa tête. Il devait reconnaître ces pensées et ces émotions inconfortables qui le poussaient à se réfugier dans de vieux comportements.

Tom devait trouver de nouveaux moyens de tolérer et de surmonter ces sensations désagréables. Il était essentiel qu'il explore de nouvelles avenues lui permettant d'y «faire face». Plutôt que de s'isoler dans l'alcool, il a décidé de passer du temps avec Rachel chaque soir en rentrant. Tom a commencé à assister aux réunions des Alcooliques Anonymes durant la semaine. Il a également repris des activités qui lui plaisaient, comme se joindre à la ligue de balle molle dont il faisait partie autrefois.

Tom consentait maintenant à vivre des expériences qui le confortaient dans l'idée que sa valeur n'avait pas changé, malgré des ennuis professionnels hors de son contrôle. Le fait de confronter son spectre personnel, affronter ses peurs et les amener au grand jour n'était pas aussi intimidant qu'il l'avait cru. Et la conséquence la plus importante de se libérer ainsi de son Déni a été de reprendre sa vie en main et d'envisager d'autres possibilités.

Tom a continué de travailler dans la même entreprise pendant encore un an. Il a compris qu'il ne se sentirait jamais à l'aise dans un environnement aussi instable, alors il a tranquillement commencé à explorer d'autres possibilités d'emploi qui lui convenaient davantage. Bien que de chercher un nouvel emploi ait été stressant, il a été capable de porter attention à ce qu'il avait appris sur lui-même, aux indices que son corps lui donnait et, le plus important à ses yeux, à sa capacité d'être un mari et un père fiable. Tom ne pouvait plus ignorer le fait que l'alcool avait eu un impact profond non seulement sur son passé, mais également sur son présent.

Avec Tom, nous avons utilisé le modèle suivant, avec lequel vous pouvez travailler chez vous. Même s'il demande du temps et des efforts (comme tout ce qui vaut la peine), il s'agit d'une ressource très puissante pour comprendre votre propre Déni.

Ressentir, se questionner, remarquer, et expérimenter

Le refrain de la tactique inconsciente du Déni est : « Je vais bien, tout le monde va bien et tout va bien ». Si vous avez remarqué que vous vous parlez ainsi plus souvent que l'ensemble des gens, voici un exercice à faire :

Ressentir

Vérifiez l'état de votre corps : il est le réservoir de votre stress, de la tension, de la joie et de la tristesse. Dès que vous portez attention à votre moi physique, vous pouvez alors vous brancher aux émotions enfouies profondément. Répondez aux questions suivantes par oui ou par non :

- J'ai souvent des maux de tête dus à la tension.

- Je grince des dents et je claque la mâchoire, parfois même durant mon sommeil.

- J'ai tendance à avoir des raideurs dans le cou et les épaules.

- J'ai souvent la gorge serrée et ma voix est râpeuse.

- J'ai les mains moites et je transpire beaucoup, en général.

- J'ai des ennuis gastro-intestinaux, comme de l'indigestion, des brûlements d'estomac ou de la diarrhée.

- Il n'en faut pas beaucoup pour que mon rythme cardiaque s'accélère.

- Ma respiration est souvent superficielle et rapide.

- J'ai du mal à trouver le sommeil et à rester endormi.

- Je suis souvent trop fatigué pour pratiquer des activités que j'aimais bien avant.

- J'ai perdu ma libido.

Si vous avez répondu oui à au moins quatre des questions, et que votre médecin a écarté toute maladie possible, il se peut que votre corps vous envoie un message à l'effet que quelque chose ne va pas dans votre vie et que vous n'y prêtez pas attention.

Essayez cette technique de relaxation progressive pour vous brancher — et soulager le stress — à certaines régions du corps où vous retenez de la tension.

1. Installez-vous dans un endroit tranquille où vous ne serez pas dérangé pendant environ 15 minutes. Éteignez la sonnerie du téléphone. Assoyez-vous ou allongez-vous confortablement. Couvrez-vous d'une légère couverture.

2. Fermez les yeux et prenez quelques respirations profondes. En comptant jusqu'à cinq à chaque inspiration et chaque expiration, vous pourrez rester concentré.

3. Commencez par porter votre attention sur vos pieds. Avez-vous une sensation de serrement, de fourmillements ou de douleur ? Vos pieds vous font-ils mal ? Sont-ils sensibles ou trop chauds ? En expirant, relaxez consciemment les muscles de vos pieds. Si vous le souhaitez, remuez les orteils et tendez vos pieds un instant ; puis relâchez en expirant.

4. Remontez doucement le long du corps de la même façon : les chevilles, les mollets, les cuisses, les hanches, le ventre, la poitrine, le dos, les épaules, les doigts, les bras et le cou… jusqu'au visage et au cuir chevelu. Dès que vous atteignez une région tendue ou douloureuse, arrêtez et expirez la tension avant de continuer. Soyez particulièrement attentif à tous les petits muscles autour de la mâchoire, la bouche et les yeux, car ce sont des régions plus vulnérables à la tension. Quand vous en aurez pris conscience, vous réaliserez à quel point vous serrez les dents et plissez

les yeux. En relaxant chaque partie de votre corps, laissez-les suivre la gravité.

5. Après avoir parcouru tout votre corps, étirez-vous doucement et reprenez conscience de votre environnement. Essayez de conserver cet état de détente et d'ouverture le reste de la journée.

Si vous trouvez cet exercice difficile à faire seul, procurez-vous un CD de relaxation guidée. Voici quelques suggestions : *Guided Meditation : Six Essential Practices to Cultivate Love, Awareness, and Wisdom*, de Jack Kornfield, Ph.D. ; et *Les espaces sacrés*, de Denise Linn. Ou alors, vous pourriez vous inscrire à des cours d'étirements, de méditation ou de yoga. Vous pourriez même vous offrir un massage. La thérapie par le massage connaît un grand engouement depuis quelques années. Notre société est devenue si affairée, folle et déconnectée que nous avons tous besoin d'être triturés, frictionnés et réconfortés, afin de nous soulager de nos émotions refoulées. Avez-vous déjà reçu un massage qui a déclenché vos larmes ? Ce n'était pas la manifestation des sensations extérieures, mais plutôt de vos émotions *internes*. La voie vers votre esprit et votre cœur passe par les indices que le corps vous donne. Vous connecter à ces manifestations est le premier pas pour relâcher la garde, les armures que vous ne « ressentiez » même pas.

Se questionner

Recueillez plus de renseignements au sujet de vos comportements. Acceptez d'écouter le point de vue des autres et de vous poser des questions difficiles. En voici quelques-unes :

- Quand tout cela a-t-il commencé ?

- À quelle fréquence est-ce que j'adopte ce comportement autodestructeur ?

- Comment ce comportement a-t-il évolué avec le temps ?

- Qu'y ai-je gagné ?

- Qu'y ai-je perdu ?

Vos réponses à toutes ces questions représentent les morceaux d'un casse-tête. En y accédant, vous avez le choix : soit vous ne bougez pas — et c'est ce que la plupart des gens font — soit vous décidez de faire les choses différemment.

Tout processus d'exploration ayant pour but de comprendre vos mécanismes de défense doit avoir lieu non seulement dans un monologue avec vous-même, mais également dans le contexte des relations avec vos proches : des amis, un être aimé, un thérapeute ou un groupe. Sans cela, impossible de bien saisir vos systèmes de défense. Il vous faut plus d'une personne pour vous aider à voir le reflet de vos comportements.

Remarquer

Cherchez à repérer quand et où vous avez commencé à adopter ce comportement. Qu'est-ce qui vous a conduit dans cette voie autodestructrice ? Remarquez les pensées, les situations et les indices physiques qui se manifestent parfois à certains moments, dans des endroits en particulier, ou à l'occasion d'événements précis. Un bon moyen d'arriver à discerner ces « déclencheurs » consiste à vous servir d'un calepin. Lorsque vous aurez noté par écrit les circonstances de ces déclencheurs, vous serez capable de les passer en revue et de reconnaître les patterns. Et une étape importante pour briser ces réactions qui vous enferment consiste à les voir telles qu'elles sont. Si vous ne voulez pas les mettre sur papier, envoyez-vous un courriel et conservez un dossier dans votre ordinateur. Créez un blog réservé à votre intention, ou un que vous partagerez avec des amis fiables et des membres de la famille qui vous donneront du feedback sous forme de commentaires. C'est peut-être la version la plus moderne du « moment de vérité » !

Expérimenter

Ce ne sont pas les émotions qui vous ont détruit ; c'est parce que vous n'en n'avez *pas tenu compte* que vous êtes amorphe et insatisfait. Assumez ces émotions et vivez-les ; acceptez-les sainement. Agissez pour les revitaliser.

L'un des moyens consiste à allumer votre passion. Trop souvent, lorsque vous niez les émotions *désagréables*, les plus plaisantes deviennent de lointains souvenirs également. En vous réappropriant vos émotions joyeuses et positives, vous pourrez mieux supporter les moins bonnes.

Bon nombre d'entre nous avons oublié ou négligé les activités et les intérêts qui nous faisaient palpiter le cœur et rehausser l'esprit (certains ne les ont même jamais encore découverts). Quand avez-vous eu des frissons la dernière fois ? Souvenez-vous de ce qui vous enthousiasmait quand vous étiez enfant et découvrez des moyens d'en refaire l'expérience. Entreprenez une nouvelle activité que vous avez toujours voulu essayer, faites quelque chose de physique tous les jours, même si ce n'est qu'une promenade autour du pâté de maisons, trouvez une cause qui vous tient à cœur et donnez-vous-y à fond, ou alors, allez dehors et jouissez de la nature.

Une vie satisfaisante — et elle est accessible à tous — ne dépend pas d'une activité en particulier ni d'un certain niveau d'aptitude, mais plutôt de votre engagement dans ce que vous avez choisi. Quand vous trouverez des activités qui font que vous ne voyez pas le temps passer, qui vous enthousiasment et vous revigorent, vous vous rappellerez comment vous vous sentiez et serez sur la voie d'une vie plus enrichissante et d'une plus grande plénitude.

Poursuivre une passion demande du courage, car cela exige souvent de lâcher prise sur ses peurs et de sortir de situations dans lesquelles on est confortables. Mais songez à ce qui est le plus susceptible de vous faire vivre ces passions : qu'est-ce qui vous en empêche et qu'est-ce qui vous y encourage ?

Au rayon du cœur

Un sondage, réalisé récemment par la Ligue des Consommateurs et le *Harris Interactive* auprès d'environ 2000 Américains adultes, a révélé que 52 pour cent d'entre eux se considéraient trop gros et seulement 12 pour cent déclaraient être obèses. Or, en tenant compte de leur taille et de leur poids, les statistiques actuelles indiquent en fait que 35 pour cent ont un surplus de poids et 34 pour cent sont obèses, très obèses ou gravement obèses. Comme les répondants ont tendance à signaler un poids inférieur à la réalité, le nombre est probablement supérieur. Ces chiffres se rapprochent par ailleurs des données du Centre de Prévention des Maladies qui estime à 33 pour cent les adultes américains trop gros et à 33 pour cent le nombre d'obèses.

Il y a nettement un écart entre le poids réel des gens et leur perception d'eux-mêmes. Il semble qu'un bon nombre ne veut pas faire face aux conséquences de ce surplus de poids sur leur santé. C'est là du Déni grandeur nature !

Le côté troublant est qu'une importante proportion de ceux qui ont un surplus de poids (45 pour cent) et de ceux qui sont obèses (19 pour cent) ont indiqué n'en avoir jamais discuté avec leur médecin. Comme l'obésité, ou même un léger surplus de poids, peut avoir des ramifications à long terme sur la santé — y compris le diabète de type 2, les cardiopathies, le risque plus élevé de certains cancers et l'arthrite — vous confronter à votre poids véritable et vous en occuper peut faire une différence dans votre qualité de vie pour l'avenir.

Le Déni fait maintenant partie de notre jargon quotidien. Parions que vous connaissez quelqu'un dont les gens disent « Elle vit dans le déni complet ». Ou ce vieux cliché — très apprécié des comédiens et des chanteurs de country — vous est peut-être familier : « C'est la reine du déni ». Ou encore la célèbre citation attribuée à Mark Twain : « Le déni n'est pas seulement un fleuve en Égypte* ».

Nous hochons tous la tête pour acquiescer quand nous entendons des choses comme celles-là. Combien de fois avons-nous descendu ce fleuve, nous aussi ? C'est parfois de façon délibérée. Nous le savons et nous ramons aussi vite que possible afin de ne pas chavirer et nous noyer. Mais plus souvent qu'autrement, nous ne nous rendons même pas compte que nous avons les rames en mains — jusqu'à ce que quelqu'un nous secoue. Et c'est ce qui s'est passé avec notre amie et collègue Donna.

Donna est dans le Déni

Donna est un excellent exemple de quelqu'un qui savait depuis longtemps qu'elle portait un bandeau sur les yeux face à sa situation actuelle, mais qui refusait de le retirer. Spécialiste en pédagogie, voilà une femme de 35 ans accomplie, appréciée et sociable. Elle se perçoit comme une personne forte et autonome, mais aspire à avoir un compagnon pour que sa vie soit plus complète. Elle cherche l'homme idéal depuis aussi longtemps que nous la connaissons.

Nous avons donc été ravis quand Donna nous a parlé de Steven, le nouvel homme de sa vie. Ça y était ! (Du moins, c'est ce qu'elle espérait.) Elle nous racontait qu'ils partaient ensemble à l'aventure le week-end et partageaient des défis physiques exaltants qu'elle n'avait jamais connus auparavant. Elle se sentait plus forte et plus compétente que jamais.

---

* N.d.T. : Jeu de mots ; en anglais déni se dit « denial » qui se prononce comme le fleuve : the Nile.

Au cours de l'année qui a suivi, Donna a commencé à se plaindre qu'elle voulait davantage que des «fréquentations» et sentait que le degré d'engagement entre Steven et elle n'augmentait pas. Elle observait ses amies se marier et devenir enceintes les unes après les autres et cela la rendait maussade et triste. Nous lui avons gentiment fait remarquer qu'elle n'avait plus dit quoi que ce soit de positif au sujet de son couple depuis longtemps. Donna a convenu avec nous qu'elle était frustrée et inquiète. Mais elle trouvait toujours des excuses à Steven, parlait sans cesse de ses sentiments, et craignait d'admettre ce qu'elle voulait vraiment.

La vérité inconfortable à laquelle elle ne voulait pas faire face, c'est qu'elle savait que Steven ne souhaitait pas approfondir leur relation. Son Déni la gardait dans le noir.

Au bout d'environ 14 mois, Donna est partie en voyage d'affaires et est restée loin de chez elle pendant plusieurs semaines. De son propre chef, elle a visité des écoles dans tout le pays. Un soir, elle nous a téléphoné pour nous parler d'une révélation qu'elle avait eue sur la route : elle pouvait se débrouiller seule, elle pouvait être indépendante. Elle n'avait pas besoin de Steven, mais elle voulait plus que jamais vivre un engagement réel avec lui.

Quand elle est rentrée, elle en savait plus sur ce qu'elle voulait pour elle-même, alors elle a demandé à Steven où allait leur relation. Comme il continuait de refuser de s'engager, elle a insisté, a pleuré, et il a fini par accepter. Ils se sont fiancés. Et la bague de Donna nous a tous éblouis.

Quelques mois plus tard, alors qu'elle nous faisait part de ses projets de mariage, nous avons remarqué que la Donna habituellement ouverte et joyeuse s'était assombrie et ternie. La cérémonie devait avoir lieu dans six semaines, mais Donna ne s'occupait plus de rien. Lorsque nous lui avons posé des questions au sujet de sa robe, des fleurs, de la musique, etc., non seulement elle n'était pas dans l'état d'esprit de quelqu'un qui va se marier, mais elle semblait complètement détachée. Nous nous sommes sérieusement inquiétés. L'armure de Donna — le Déni — semblait plus que jamais blindée et cela influençait gravement son humeur.

Nous nous interrogions sur ce qu'elle refusait de voir. Se pouvait-il qu'au fond, Donna sache que Steven n'était pas engagé dans cette union? Nous espérions que non, mais sans pouvoir penser à une autre raison. Au cours des semaines suivantes, nous avons tenté de la rencontrer pour prendre un café, mais Donna trouvait des excuses pour ne pas nous voir. Nous étions inquiets pour elle, mais n'avons pas insisté.

Dans un message qu'elle nous a adressé, Donna a fait allusion au fait que ses séances de préparation au mariage avec leur pasteur s'étaient révélées préoccupantes. Steven avait des idées très arrêtées sur la façon d'élever les enfants et sur la religion, dont elle n'avait pas eu connaissance auparavant. Elle relatait qu'il lui semblait, ainsi qu'au pasteur, qu'il n'y avait aucune place pour la négociation dans cette union.

Trois jours avant le mariage et après une dernière séance avec le pasteur, Leslie, la sœur de Donna, nous a informés que celle-ci avait annulé la cérémonie. Elle nous a assurés que sa sœur avait tout le soutien de sa famille et qu'elle allait bien.

Quelques semaines plus tard, Donna a souhaité nous rencontrer à son bureau. Espérant que nous apporterions des petits gâteaux pour adoucir la réunion (étant donné qu'il est de bon ton d'apporter des plats à des funérailles!), nous avons été surpris de la trouver en assez bonne forme. Donna avait passé des moments difficiles, dont le premier avait été de stopper le train en marche et d'informer les 220 invités que le mariage n'aurait pas lieu. Mais elle nous a aussi confié comment elle était parvenue à se défaire de l'emprise du Déni pour affronter la réalité. Il était clair que sa peur de la solitude et sa ferveur pour le mariage avaient éclipsé sa perception de l'homme qu'elle croyait aimer.

Quand ils ont rencontré le pasteur, elle a admis qu'elle en avait assez de vivre seule, qu'elle voulait plaire à ses parents et que son horloge biologique commençait à s'impatienter. Toutes ces craintes l'empêchaient de voir la réalité : son compagnon ne lui convenait pas. Lorsque le pasteur a dit sans détours au couple : «Je m'inquiète de vous marier tous les deux», Donna a bien senti qu'il avait raison.

«Le moment de vérité» a fait son chemin dans les luttes internes de Donna. Face aux inquiétudes de ses collègues, de celles du pasteur, puis des réactions de ses amis qui lui disaient qu'elle n'était plus la même, Donna a soudainement pris conscience de la réalité. Tout lui est revenu en bloc au visage, pour enfin la sortir de l'aveuglement. Jusque-là, elle s'était entêtée à ne pas assumer ce qui se passait en elle.

Bien que de se libérer de l'emprise du Déni — l'armure de son cœur — lui ait causé de la tristesse et mis un terme à son rêve, cela lui a permis de prendre un nouveau chemin. Elle a porté une plus grande attention à ses peurs et en a tiré des leçons. Plutôt que de se lancer tête baissée dans une autre relation, elle cherche désormais à trouver l'âme sœur et sait davantage ce qu'elle souhaite auprès d'un compagnon. Son désir est resté le même : avoir une vie de famille. Sauf qu'elle sait qu'elle ne développera plus une relation avec quelqu'un dans le seul but d'éviter d'être seule.

À partir de maintenant, vous devriez être en mesure de savoir si le Déni est l'armure de votre cœur. Mais au cas où vous auriez encore des doutes, concluons avec une liste qui vous fera rire ou grincer des dents si vous vous reconnaissez !

Vous êtes dans le Déni si...

...vous êtes né à l'époque de l'administration Kennedy et que vous faites encore vos achats au rayon des adolescents.

...vous ne savez pas combien de dettes de cartes de crédit vous avez accumulées parce que vous n'ouvrez pas les factures. (Et, bien sûr, de toute façon, vous achetez « toujours » en solde.)

...vous ne vous protégez pas dans vos rapports sexuels parce que quelqu'un d'aussi mignon ne peut *vraisemblablement* pas être atteint d'une MTS.

...vous ne vous inquiétez pas des calories absorbées en finissant les restes des assiettes de vos enfants (parce que, bien entendu, ça ne compte pas).

...vous pensez que les gens ne connaissent pas votre consommation d'alcool parce que vous savez si bien cacher les bouteilles — dans le tiroir de votre bureau.

...vous croyez que toutes les preuves ne sont que pure coïncidence : elle ne pourrait *jamais* vous faire une chose pareille.

...vous êtes certaine qu'il changera d'avis après le mariage et qu'il voudra avoir des enfants.

…vous cachez votre calvitie.

La récompense

Nier un problème, quel qu'il soit, peut vous empêcher de changer, de grandir et finalement d'obtenir ce que vous désirez, ou ce dont vous avez besoin pour améliorer votre vie. Après avoir fait les exercices dans ce chapitre, vous commencerez à reconnaître comment vous vous servez du Déni et prendrez conscience de ce que vous avez manqué. La prise de conscience donne du pouvoir, mais ce n'est qu'un début. Il faut ensuite avoir le courage d'agir.

Regarder de haut votre spectre ne fera pas disparaître toutes vos peurs et toute votre souffrance, mais chacun d'entre nous aspire à plus de sens dans sa vie et, parfois, il faut se préparer à endurer un peu d'inconfort avant de pouvoir ouvrir notre cœur au plaisir. Par ailleurs, reconnaître votre douleur vous permettra de chercher du réconfort ; admettre votre colère vous aidera à trouver la façon de l'évacuer.

Donnez-vous la permission de ressentir les choses, intensément et de manière authentique. En vivant la gamme complète de vos émotions — la terreur, le ressentiment, la tristesse, l'amour, la joie, l'extase — vous parviendrez plus facilement à mieux vous connaître et à établir une plus grande intimité avec les autres. Imaginez avoir des relations qui aillent au-delà des interactions superficielles, des relations qui soient riches en communication, en empathie et en potentiel.

Auriez-vous une bonne raison de vous en priver ?

Chapitre 2

DÉSAMORCEZ VOS ARMES DE *PROJECTION* MASSIVE

<u>Définition du *Petit Robert*</u>

Projection : mécanisme de défense par lequel le sujet voit chez autrui des idées, des affects (désagréables ou méconnus) qui lui sont propres.

L'endroit où nous exerçons depuis des années — le pays des chimères — est une ville qu'on aime détester et que, parfois, on se déteste d'aimer. Los Angeles est une ville d'entreprises et l'industrie du spectacle y domine la culture populaire. Tout en étant séduisante, captivante et amusante, elle a aussi son côté sombre et sordide dont les tabloïds témoignent largement. Il semble que la majorité de la population ne puisse pas passer une journée sans sa dose de télé et de bulletins Internet au sujet des manigances de jeunes starlettes de Hollywood.

Tous les jours, nous recevons à nos bureaux des personnalités du monde du spectacle dont vous reconnaîtriez les noms — acteurs, écrivains et metteurs en scène — ainsi que des gens des coulisses (comme on les appelle dans le milieu), c'est-à-dire tous ceux qui collaborent discrètement à la fabrication d'un film. Nous pouvons affirmer sans ambages que les gens célèbres et riches n'ont pas moins d'armures du cœur que les autres. En fait, le monde du cinéma se prête bien à l'illustration de celle dont nous allons parler dans ce chapitre : la *Projection*.

Les projecteurs lancent des faisceaux lumineux et des images sur grand écran. Une histoire se déroule sous vos yeux. Et tout comme le cinématographe, vous projetez vous aussi votre propre lumière et vos propres images sur l'écran de votre vie. Vos émotions — votre univers intérieur — se jouent sous vos yeux. Par « univers intérieur », nous voulons dire vos intentions, vos pensées et vos sentiments — que vous les aimiez ou pas — toutes ces parties de vous qui habitent votre conscient comme votre inconscient.

Comme vous êtes le projecteur du film de votre propre vie, votre entourage, c'est-à-dire vos proches autant que ceux que vous connaissez moins, deviennent l'écran de vos projections. Ils se transforment alors sans le savoir, en réceptacles de ces éléments de vous que vous n'arrivez pas à tolérer. Et, par conséquent, vous interagissez avec eux comme s'ils possédaient effectivement ces caractéristiques non souhaitées que vous écartez pour vous-même. Afin de vous aider à vous débarrasser de ces intentions et impulsions dont vous ne voulez pas, la Projection vient à la rescousse. Comme tous les autres mécanismes de défense, elle représente le moyen de vous assurer que votre conscience est protégée des sentiments négatifs et générateurs d'anxiété.

Si l'analogie avec l'écran de cinéma ne vous convient pas, alors pensez à une poubelle. Imaginez que vous avez besoin des autres pour y déverser les «déchets» émotionnels que vous êtes incapable de reconnaître.

On voit clairement ce mécanisme de défense à l'œuvre dans les couples. Le partenaire sur lequel vous rejetez votre irritation est renversé par vos accusations, vos critiques et vos blâmes. Il ou elle dira : «Je suppose que tu plaisantes? Mais de quoi parles-tu? Est-ce bien toi qui s'adresse à moi?» Votre partenaire ne comprend rien à ce qui se passe. Ces accusations le choquent. Pourquoi? Parce que, souvent, vous projetez alors sur lui ce qui se passe en vous-même.

Cette armure du cœur est si insidieuse qu'elle peut ruiner un mariage plus efficacement qu'une belle-mère désagréable! Notre expérience nous a montré à quel point ce mécanisme de défense peut être menaçant et cela nous a été utile dans nos séminaires maritaux. Avec la Projection au centre de nos préoccupations, nous avons aidé des couples à mieux différencier les irritations propres à chacun des partenaires.

Nous aimons commencer tous nos séminaires au moyen d'une fiche de travail très élémentaire mais néanmoins complète que nous trouvons amusante et révélatrice, même pour les communicateurs les plus subtils. Durant plusieurs années, nous avons utilisé un tableau illustrant des caricatures d'émotions pour les enfants que nous traitions en thérapie. Nous installions sur le mur une grande affiche comportant une trentaine de dessins humoristiques reflétant une série de réactions émotives. Vous les avez peut-être vues dans des cabinets de médecine familiale et en pédiatrie. Nous avons découvert que les enfants ne sont pas les seuls à avoir du mal à identifier ce qu'ils ressentent. Voilà pourquoi nous avons décidé d'utiliser ce tableau sous forme de fiche à remettre aux adultes et aux couples. À notre grande surprise, cet outil tout simple s'est révélé un tremplin pour aider ceux-ci à sortir de leur tête afin d'entrer dans leur *cœur*.

Dans un deuxième temps, nous utilisons le tableau pour sonder dans quelle mesure les couples sont en accord ou en désaccord. Les conjoints décèlent d'abord les émotions qu'ils ont personnellement vécues au cours des six derniers mois. Puis, ils observent le tableau de nouveau et pointent les illustrations correspondant aux sentiments que, selon eux, leurs êtres chers ont éprouvés durant la même période. La dernière étape de l'exercice consiste à s'asseoir face à face et à comparer les résultats. Il est ahurissant de constater à quel point chacun attribue souvent à l'autre des émotions et des états d'esprit qui ont en fait bien peu à voir avec lui. Chose intéressante, cela nous a permis de trouver un moyen de saisir cette armure du cœur, inconsistante, la Projection, et d'explorer ses conséquences sur le mariage.

Essayez cet exercice chez vous. Si vous n'avez pas de partenaire, le faire tout seul vous aidera quand même. Choisissez les sentiments que vous avez vécus au cours de la dernière semaine. Vous en identifierez rapidement quelques-uns, mais ce qui est le plus précieux et révélateur, c'est que vous prendrez conscience de ceux que vous n'aviez pas remarqués. Ces sentiments cachés sont fort probablement ceux que vous avez projetés sur les autres.

À *qui la faute*

Un autre exercice très puissant et libérateur que nous trouvons utile dans notre travail avec des couples est celui qui consiste à trouver à qui la faute. Cet outil est très efficace en ce qui concerne la Projection, car il amplifie les principes de base de ce mécanisme universel. C'est un moyen de donner plus de consistance à cette armure floue et difficile à saisir.

Vous rappelez-vous quand votre mère vous disait qu'il n'était pas poli de montrer du doigt ? Eh bien, elle avait raison. Elle craignait qu'il ne vous arrive la même chose un jour et que vous en soyez blessé. Mais votre mère ne vous a pas dit que chaque fois que vous pointez du doigt — et trouver des lacunes, des défauts et des faiblesses chez les autres est certainement une façon de montrer du doigt — il y en aura toujours trois autres qui se pointeront sur *vous* ensuite.

Essayez l'exercice suivant : il est plus prudent de le faire seul avec votre calepin. En fait, il a davantage à voir avec vous-même, et la lucidité avec laquelle vous vous percevez, qu'avec votre partenaire.

**Plus vous vous connaîtrez vous-même,
moins vos Projections auront de prise sur vous.**

En pensée, pointez le doigt vers votre partenaire (ou un ami, un frère, une sœur, un parent ou un collègue) et posez-vous les questions suivantes :

- Quels sont les défauts de cette personne qui me dérangent le plus ?

- Comment cette personne manifeste-t-elle ces défauts ?

- Qu'est-ce que je ressens face à cela ?

- Est-ce que l'un de ces défauts me ressemble ? Quelle image me renvoie-t-il ?

Je te regarde me regarder

Les deux exercices précédents se sont vraiment révélés très utiles pour Cindy et son mari, Jack, qui ont assisté à l'un de nos séminaires sur le mariage, récemment. Mariés depuis 12 ans, ils cherchaient des outils pour ranimer leur passion. Ils ne s'attendaient probablement pas à ce que la prise de conscience de ce singulier mécanisme de défense soit la clé.

Cindy, 43 ans, était directrice d'une importante compagnie d'assurances. C'était une personne courageuse, athlétique, qui trouvait toujours quelque chose de gentil à dire sur chacun. Sa façon d'aborder la vie consistait à être toujours occupée, à parler avec ses amies sur son portable, et à participer à des tas d'activités communautaires.

Lorsque Cindy a rencontré Jack, qui travaille dans les relations publiques, ce fut le coup de foudre. Ils ont quand même attendu cinq ans pour se marier. Jack, 45 ans, le plus effacé des deux, était parfois difficile à comprendre. Ils allaient jogger ensemble, mais il était évident qu'il préférait rester à la maison, à traîner et à jouer au poker avec les copains le soir. Ils avaient des modes de vie différents, mais cela ne semblait pas les gêner et, avec les années, ils en sont même arrivés à apprécier leurs différences. Depuis leur vingtaine, il était évident pour tous, y compris Cindy et Jack eux-mêmes, qu'ils ne vivaient pas au même rythme. Mais cela n'avait jamais compromis leur vie romantique et sexuelle. À cette époque, ils dansaient le «cha-cha-cha horizontal» avec grande aisance!

Quand Cindy a eu 34 ans, elle et Jack étaient prêts à avoir le bébé dont ils parlaient depuis des années. Organisée et méthodique, Cindy avait tout prévu dans les moindres détails (croyait-elle) : elle tomberait enceinte cette année-là, accoucherait à l'âge idéal de 35 ans et prendrait l'été de congé. Jack était d'accord. Suivant son style, Cindy envisageait la fabrication du bébé avec beaucoup d'enthousiasme et d'anticipation, et le faisait savoir à qui voulait l'entendre.

Au bout d'un an et demi sans bébé à l'horizon, l'étincelle de Cindy et de Jack s'est quelque peu éteinte. Ils sont allés consulter un spécialiste en fertilité avec de grands espoirs. Mais six ans, des milliers de dollars et d'innombrables déceptions plus tard, le couple a pris la décision de cesser d'essayer d'avoir un enfant. Ils ne souhaitaient pas envisager l'adoption et ont fini par se convaincre que leur vie serait pleine de sens et heureuse, même sans enfant.

Environ un an plus tard, Cindy et Jack se sont inscrits à notre séminaire consacré aux couples mariés depuis plus de dix ans et déterminés à maintenir leur union dans la vitalité. On y parlait de sexualité, de communication, de finances, d'enfants et de la façon d'envisager l'avenir après tout ce temps ensemble.

Bien que Jack et Cindy soient venus avec l'intention première de raviver leur sexualité, l'exercice des dessins humoristiques a été très révélateur. Non seulement il a mis au jour des émotions refoulées, mais a également offert un nouvel éclairage sur ce qui rendait le «cha-cha-cha» plus difficile qu'avant.

Cindy et Jack avaient traversé de durs moments au cours des dernières années et la décision de ne pas avoir d'enfant avait laissé de profondes cicatrices. Même s'ils restaient unis dans l'acceptation de cette réalité, il fallait s'attendre à ce que de profondes émotions individuelles demeurent.

Nous avons distribué les fiches d'illustrations et divisé les participants par petits groupes de deux ou trois couples. Cindy et Jack ont commencé à parler de sentiments qu'ils croyaient avoir déjà exprimés et surmontés, ainsi que de ceux qu'ils n'avaient pas apprivoisés et enfouis. Ce qui en est ressorti était à la fois affolant et fascinant. Cindy avait l'impression que depuis leur décision au sujet du bébé, Jack était de plus en plus froid et distant, ainsi que plus irritable, mesquin et critique. Elle sentait que son mari ne l'aimait plus autant qu'avant. Cependant, elle croyait que ses sentiments à elle n'avaient pas changé.

Ensuite, au moyen de l'exercice «À qui la faute», Cindy a réfléchi aux défauts qu'elle imputait à Jack. Elle sentait qu'il n'était plus aussi intéressé à faire l'amour, qu'il était moins affectueux et moins disponible pour la conversation.

En réfléchissant à l'image qui lui était renvoyée, elle s'est demandé : *Est-ce que l'un de ces travers a quelque chose à voir avec mes propres sentiments ?* Et elle a dû répondre franchement que oui. Cindy a commencé à chercher en elle-même les défauts qu'elle attribuait à Jack. Elle s'est posé les questions : *Suis-je froide ? Suis-je distante ? Suis-je irritable ? Suis-je critique ? Suis-je indigne d'amour ?* Sa réponse affirmative à toutes ces questions l'a incitée à se poser la suivante : *Suis-je ainsi avec Jack ?*

Cindy a été renversée et embarrassée de découvrir tout cela. En fait, elle était à la source de ce qu'elle croyait provenir de son mari. *Elle* était la cause de la plus grande part de son irritation. Même si Jack était manifestement triste et déçu après leur combat contre l'infertilité et les dépenses que ça avait occasionné, Cindy n'avait pas pris conscience des conséquences de tout cela sur *elle-même*.

Cindy se sentait trahie par son corps. Percevoir Jack comme plus distant et moins attentif reflétait en fait sa croyance profonde de ne pas être digne de son amour. Après tout, n'avait-elle pas échoué dans son rôle de femme et d'épouse, du fait de ne pas avoir pu concevoir un bébé pour leur couple? Comme elle se percevait comme quelqu'un de capable, Cindy n'avait pas laissé de place à l'échec. L'autocritique et la haine d'elle-même qu'elle n'avait pas explorées avaient pris place en la personne de Jack — du moins c'est ce qu'elle croyait. Elle s'était donc mise à penser qu'il était responsable de tout ce dont *elle* se sentait coupable. Il est vrai que Jack était encore plus calme et réservé que d'habitude, mais il vivait lui aussi un deuil. En réalité, il avait du mal à communiquer avec Cindy, car celle-ci s'était éloignée de lui. Elle l'avait protégé de son critique intérieur et de son «moi indigne d'amour».

Jack était devenu l'écran sur lequel Cindy pouvait projeter les sentiments critiques qu'elle éprouvait contre elle-même afin de ne pas devoir les confronter. Elle en avait fait sa «poubelle».

Comme on pouvait s'y attendre, Cindy a pu tempérer sa Projection, et son union a retrouvé une meilleure saveur. Malgré les années de douleur et de déception causées par l'échec de l'enfantement, le couple en est quand même ressorti grandi et plus solide.

Nous savons que vous devez être courageux pour consentir à explorer et à assumer les émotions et les pensées louches qui vous habitent. Nous savons également que sans introspection — c'est-à-dire le voyage d'exploration en vous-même — votre vie ne peut pas être pleinement satisfaisante. C'est ironique. Pour avoir une vie meilleure et donner plus de sens à notre passage sur Terre, il faut d'abord affronter nos côtés sombres. En prenant conscience des faiblesses que vous projetez sur les autres, puis en assumant celles-ci, vous vous comprendrez mieux vous-même. C'est ainsi que vous augmenterez vos chances de faire les choix qui vous aideront à grandir.

Au rayon du coeur

Une étude publiée dans le magazine *Health Psychology* a révélé que les femmes qui font 20 minutes d'exercice devant un miroir se sentent moins énergisées, moins détendues et moins positives et optimistes que celles qui en font sans miroir. Ces femmes ont par ailleurs signalé qu'elles se sentaient plus épuisées à la fin de leur séance. Par conséquent, si des gens ressentent ces effets négatifs à cause de leur propre reflet physique, imaginez à quel point il doit être débilitant d'être constamment confronté aux traits et aux qualités que vous ne voulez pas voir et que vous projetez alors sur les autres. Ici, le reflet que vous apercevez représente toutes les parties négatives de vous-même que vous transférez dans le « miroir » — c'est-à-dire l'autre personne — bien que, dans ce cas-ci, il se trouve que c'est *vous*.

Le roublard artistique

À propos de récupérer nos Projections, nous pensons à quelqu'un qui est venu en consultation il y a quelques années. Art, 38 ans, bourré de talent, illustre bien son nom par son travail : tous les jours, il crée de l'« art » à partir d'un décor vierge de cinéma ! Il est très en demande par les studios et les réalisateurs pour créer des décors de grandes productions. Même s'il fait ce travail depuis environ dix ans et qu'il gagne beaucoup d'argent, Art n'a jamais ressenti sa réussite.

Au bout d'environ trois semaines à travailler à une grosse production, avec un réalisateur sur ses talons exigeant des changements, Art éprouvait des ennuis physiques étranges. Il n'avait jamais rien connu de semblable à ces pustules rouges sur les mains et les doigts. Croyant être allergique à quelque chose, il a dressé la liste de tous les matériaux auxquels il avait touché au cours des dernières semaines. Sa liste en main, il est allé consulter son dermatologue. Au bout de quelques semaines de tests d'allergies et toutes sortes de médicaments, rien ne semblait pouvoir soulager les éruptions. Le dermatologue a suggéré que la source pouvait se trouver ailleurs. Il lui a demandé s'il avait subi un stress plus intense récemment. Devait-il faire face à des situations qui ne lui convenaient pas ? Autrement dit, Art avait-il envisagé que ces symptômes physiques soient des réactions au stress et à la pression ?

Avec mépris, Art a écarté l'avis du dermatologue et est allé consulter la « crème » de la profession à Beverly Hills, afin d'obtenir une seconde opinion. Art a été *vraiment* déconcerté quand ce deuxième médecin lui a remis notre carte de visite.

Rencontrer Art la première fois *n'a pas* été ce qu'on appellerait une « belle » expérience, mais ce fut mémorable. Il s'est présenté très crispé et nous a traités comme s'il nous accordait la faveur de sa présence. Prudemment et délicatement, nous avons entrepris de comprendre cet individu. Il nous a raconté ce qui se passait avec le nouveau metteur en scène du film sur lequel il travaillait et nous a parlé de sa colère de devoir s'adapter à cet homme qui changeait constamment d'idée. Bien que Art nous ait expliqué que cette industrie était pleine de gens critiques, capricieux, froids et exigeants, ce réalisateur remportait la palme.

Nous étions curieux, comme pour tous ceux que nous rencontrons, de connaître la vie de Art et sa personnalité. Nous avons appris qu'il était seul depuis la rupture d'une relation sérieuse ayant duré quatre ans, à la fin de la vingtaine. Depuis ce temps, il n'avait pas eu beaucoup de fréquentations. C'était un grand amateur de tennis qui passait tous ses week-ends sur les courts ou à regarder les matchs à la télé. Il avait des partenaires de tennis, mais ne socialisait pas avec eux en dehors des courts. Art avait un frère et une demi-sœur, dont il n'était pas proche et, bien que son père et sa belle-mère n'habitent qu'à quelques kilomètres, il les voyait peu. La mère de Art était décédée alors qu'il était encore adolescent.

Art avait consacré sa vie à son travail. Nous avons trouvé intéressant que des débuts prometteurs l'aient conduit vers la conception de décors. Il avait suivi ses cours universitaires au Massachusetts Institute of Technology et obtenu son diplôme en génie avec mention honorifique. Dans ses temps libres, l'un de ses professeurs avait travaillé comme metteur en scène d'une pièce de Shakespeare qu'on avait montée durant l'été dans un tout petit théâtre — à des lieues de Broadway ! Ce dernier avait informé sa classe que des emplois en coulisses étaient disponibles et c'est ainsi que Art a décidé de s'inscrire. Ce fut le catalyseur qui allait changer le cours de sa vie professionnelle pour toujours.

Nous étions émerveillés par le fait qu'un type possédant un diplôme du MIT puisse faire un virage à 180 degrés. Il a convenu que c'était la chose la plus farfelue qu'il ait jamais faite, mais en parlait sans grande fierté, ni pour lui-même ni pour ses réalisations : il a semblé dédaigner notre admiration. Il nous a confié qu'il adorait peindre et construire des choses quand il était enfant, mais qu'il n'avait jamais rien terminé. Quand nous l'avons questionné davantage, Art a ri amèrement et déclaré qu'il avait toujours trouvé que ses «bricolages» ne valaient pas la peine d'être terminés. Ironiquement, Art a très bien réussi dans un domaine qui exigeait que des projets soient complétés à temps et suivant des échéances dictées par d'autres.

Nous lui avons demandé pourquoi il ne s'était pas inscrit aux Beaux-arts à l'université. Mais dans son milieu familial, il était entendu que personne ne pouvait gagner sa vie ou bénéficier d'un emploi à long terme en faisant une carrière artistique. Après tout, son père avait été directeur des finances d'une entreprise pendant 35 ans avant de prendre sa retraite.

Même si Art obtenait beaucoup de succès depuis longtemps, il continuait de penser que son père n'était ni content ni fier de son fils. Au contraire, durant de nombreuses années, Art s'était senti critiqué et rabaissé. Son père s'était effectivement montré sceptique face à ce revirement de carrière à l'époque, et avait clairement indiqué à son fils ce qu'il attendait de lui. Art continuait donc de lui en vouloir. Bien qu'il nous ait dit que ses parents avaient financé son déménagement à Los Angeles des années auparavant pour qu'il entreprenne sa carrière, et qu'ils étaient les premiers en ligne pour voir ses films, il n'arrivait pas à leur accorder du crédit pour cela.

Qui plus est, nous avons été étonnés de sentir que Art nous en voulait *à nous* aussi —comme si nous n'étions pas à la hauteur non plus. Art rechignait sur tout, et nous le ressentions. Il critiquait nos suggestions, nous questionnait sur notre curriculum et râlait constamment contre le stationnement de l'édifice où se trouvait notre bureau. Nous avions sous les yeux un homme qui avait maîtrisé l'art de faire ressortir les défauts des autres. Art trouvait à redire contre le dermatologue, ses parents, toute l'industrie du spectacle, et maintenant nous. Eh bien! Si tout cela n'était pas de la Projection, alors quoi d'autre, franchement!

Une réalité afférente aux projections est qu'il s'y trouve généralement une part de vérité. Le père de Art *était* un parent critique, qui avait des idées arrêtées sur ce qui était ou n'était pas acceptable pour ses enfants. Il avait manifesté son mécontentement et n'avait offert aucun soutien à son fils à une époque où celui-ci en avait tant besoin. Art se sentait peut-être justifié d'être incompris et, par conséquent, de ressentir de la colère contre ses parents. Mais ce qu'il a fait au cours de son cheminement vers la vie adulte, a été d'absorber ces critiques de la part de ses parents, de les faire siennes, puis de les transférer sur le reste du monde. Comment aurait-il pu faire autrement? Il avait appris à la bonne école. Son père était lui-même un projectionniste de premier ordre. Peut-être que lui aussi avait reçu des critiques d'un parent qui n'avait jamais trouvé qu'il faisait les choses assez bien. Après tout, les chiens ne font pas des chats!

Bien qu'il soit vrai que nous ayons tous besoin qu'on nous rappelle le pouvoir de l'influence de nos

parents dans le développement de nos sentiments pour nous-mêmes, les Projections ne proviennent pas toujours d'une mère critique ou d'un père qui ne nous aimait pas. Elles proviennent parfois de *nous-mêmes*. Rappelez-vous : les Projections que nous faisons sur les autres naissent de la honte, de la gêne et de l'inconfort que nous ressentons à l'égard des sentiments, impulsions et pensées que nous sommes terrifiés d'éprouver. Peu importe leur origine, nous devons en tant qu'adultes, prendre la responsabilité de devenir pleinement conscients de la façon dont nos premières expériences ont influencé notre comportement.

Pour Art, ces messages critiques, ainsi que la pression qu'il s'est imposée de tout faire à la perfection, ont créé une sorte de dépotoir toxique pour lui et son entourage. Il était habité par une brute intérieure et incapable de la supporter. Sa haine de lui-même et ses sentiments d'imperfection étaient trop laids pour qu'il puisse les affronter. Par conséquent, pour arriver à croire qu'il avait de la bonté et de la valeur, Art devait se débarrasser de son sentiment intérieur qui lui disait à quel point il était insupportable. Ce qu'il a fait « d'ingénieux » a été de déverser ces aspects critiques qu'il n'aimait pas de lui-même sur les autres. « Je ne suis pas insupportable… *tu* l'es ! » *Ouf !* Il parvenait ainsi à s'évader de ces critiques exigeantes. Ou le croyait-il. Sauf que maintenant, les critiques n'étaient plus seulement intérieures, mais extérieures aussi.

Jusqu'à ce que Art apprenne, avec notre aide, que c'était *lui* qui ne se sentait pas à la hauteur, il a été coincé dans l'enfer de la Projection, et y serait resté à jamais. *Nous* avons pour sûr dû encaisser sa colère et ses projections critiques.

À la fin, nous avons pu aider Art à comprendre que lorsqu'il a rencontré le metteur en scène avec lequel il travaillait présentement, il a découvert quelqu'un d'encore plus fort et plus perfectionniste que lui. C'était la goutte qui a fait déborder le vase. Art ne supportait pas la froideur, la dureté, la mesquinerie et l'hermétisme de cet homme, car tout cela se rapprochait trop de sa propre nature. Inconscient de la dévalorisation qu'il ressentait en présence de cette petite brute, Art a dû s'en remettre à son corps pour que celui-ci lui dise que c'était plus qu'il ne pouvait en prendre. Bien qu'il ait fallu la croix et la bannière pour l'amener à prendre conscience de son attitude perfectionniste et critique, il a fini par faire face à ses croyances à son égard.

D'aussi loin que Art se souvienne, il ne s'était jamais senti à la hauteur. Il a reconnu qu'il pensait ne jamais pouvoir se mesurer à celui dont il attendait si intensément l'amour inconditionnel. Cette conviction l'avait mené à voir son entourage à travers le prisme de la Projection. Après en avoir pris conscience, il a pu mieux comprendre comment il avait constamment reporté sur les autres ce qu'il recherchait désespérément pour lui-même.

Afin d'aider Art à prendre conscience de ce qu'il faisait et ressentait, nous avons d'abord établi un cadre de soutien, sans le juger, un environnement qui ne risquait pas de lui rappeler son état d'esprit. En réalisant comment ses projections avaient nuancé son comportement et de quelle façon son critique intérieur l'avait éloigné et gardé isolé de son entourage, Art a pu rétablir le calme, écouter davantage les autres, et moins se juger lui-même. Son corps s'est calmé lui aussi, et les éruptions ont disparu.

Repérer vos projections empoisonnantes

Nous savons donc d'où provenaient les projections de Art. Maintenant, essayons de savoir d'où proviennent *les vôtres.*

L'une des façons les plus utiles de mieux vous connaître consiste à prendre conscience de ce que vous pensez des autres.

Même si ce mécanisme de défense est plus facile à identifier à l'intérieur d'une relation amoureuse, il est utile d'entreprendre, seul, l'introspection de vos propres projections. Allez chercher votre calepin et répondez aux questions suivantes :

- Quels sont mes pensées négatives et les sentiments du même ordre qui reviennent constamment à l'égard des autres ? (Si vous êtes incapable d'en faire la liste, relisez le chapitre 1.) Par exemple, plus souvent qu'autrement, percevez-vous vos collègues de travail comme des gens paresseux ? Avez-vous l'impression que le préposé à la banque a l'air idiot ? Trouvez-vous que les parents de votre voisinage sont incapables de discipliner leurs enfants ?

- Avez-vous déjà entendu des gens parler de *vous* dans les mêmes termes ? Le cas échéant, à quand remonte la première fois ?

- Pensez-vous que l'une de ces affirmations négatives à votre sujet s'appliquait davantage à ceux qui l'énonçaient qu'à vous-même?

- Si vous n'avez pas entendu ces affirmations négatives de la part des autres, d'où pensez-vous qu'elles viennent? Vous rappelez-vous une époque de votre vie où vous vous traitiez de paresseux, d'idiot ou de mauvais parent?

Relisez ce que vous avez écrit. Si vous avez été franc avec vous-même, vous commencerez à discerner des thèmes : ce que vous projetez à répétition sur les autres. En les apercevant clairement, vous aurez déjà fait un pas pour en réduire l'emprise sur votre vie.

Ensuite, afin de mieux saisir ce mécanisme de défense subtil, vous devez développer une plus grande compassion à l'égard de vous-même. Quand vous manquez de perspicacité et n'êtes pas en contact avec votre vraie perception de vous-même et vos véritables sentiments, il est plus facile de devenir haineux et de rejeter votre ressentiment sur les autres. Par conséquent, il est impératif de commencer à développer de la compassion à votre égard. En l'absence de tendresse pour vous-même, la Projection devient, sans aucun doute, votre arme.

Affirmations positives

Alors, comment développer cette perspicacité qui vous permettra de marginaliser vos projections? La première étape consiste à cultiver l'*empathie* : être capable de comprendre les sentiments des autres et de s'y identifier. Et votre façon de vous parler (vos affirmations) représente un facteur important pour y arriver. Les mots et les déclarations que vous utilisez à répétition ont une énorme influence sur votre vision de vous-même et du monde.

Quand nous demandons à des patients de faire la liste de leurs forces et de leurs limites, nous sommes toujours surpris de la rapidité avec laquelle ils énumèrent leurs traits négatifs. Plus surprenant encore, il leur est extrêmement difficile d'en trouver des positifs.

Le pouvoir de ces mots critiques et de ces affirmations négatives a un effet dévastateur sur le psychisme. Cette vision peu flatteuse de vous-même ne peut que vous porter à avoir des pensées impitoyables et désobligeantes envers les autres. Et vous ne vous en rendez même pas compte ! Il est essentiel de trouver un moyen de *ne pas* être critique ! Si vous êtes plus gentil envers vous-même, vous ne ressentirez plus le besoin d'attaquer les autres en projetant sur eux votre dégoût de vous-même, et vous cesserez graduellement de leur trouver des défauts.

Alors, voici comment vous libérer. Faites la liste de vos qualités négatives et positives, puis posez-vous les questions suivantes :

- Quels sont les cinq traits de caractère que je préfère chez moi ?

- Quels sont les cinq traits que j'aime le moins chez moi ?

- Combien de temps est-ce que je consacre chaque jour à me concentrer sur ces aspects ?

- Est-ce que je m'attarde davantage sur les aspects positifs ou négatifs ?

Faire des affirmations positives consiste en quelque sorte à transformer le citron en limonade. Observez vos traits négatifs et voyez comment vous pouvez les transformer. Par exemple :

Affirmation négative : *Je suis un gros porc.*

Affirmation positive : *J'ai un surplus de poids, mais je travaille à maigrir et, entre-temps, je suis en bonne santé.*

Affirmation négative : *Je suis un abruti parce que j'ai eu la trouille, et je n'ai pas profité de l'essor du marché immobilier.*

Affirmation positive : *J'ai mis mon argent dans un fonds commun de placement traditionnel pour ma tranquillité d'esprit, et je suis content de l'avoir fait.*

Affirmation négative : *Je me déteste de crier après mon fils en présence de ses amis.*

Affirmation positive : *Il n'est pas facile d'élever un adolescent et, la plupart du temps, je fais attention de ne pas m'énerver.*

Affirmation négative : *Je me dégoûte d'être attirée sexuellement par le mari de ma voisine.*

Affirmation positive : *C'est un bel homme et mes pensées sont normales. Je ne passerais jamais aux actes.*

Restez vigilant. Écoutez ce que vous pensez, prenez conscience de ces modèles négatifs et destructeurs et remplacez-les par des croyances plus agréables, optimistes, constructives et affirmatives. Les affirmations positives calment ce bavardage désapprobateur, et en vous encourageant vous-même, vous vous sentirez réconforté : vos armures perdront de leur pouvoir.

Finalement, ne vous dites jamais ce que vous n'accepteriez pas que quelqu'un d'autre vous dise. Nous savons que c'est plus facile à dire qu'à faire, mais faites semblant jusqu'à ce que vous le ressentiez vraiment. Gardez votre dialogue intérieur positif et soyez tendre avec vous-même. Nous disons toujours à nos patients : «Soyez envers vous-même comme la maman que vous souhaiteriez avoir». Maintenant que vous comprenez l'essence de l'effet des affirmations positives et saisissez mieux ce qui était enraciné et automatique depuis si longtemps, vous serez étonné de découvrir que vous ne définirez plus les autres de façon négative comme avant.

Vous n'êtes pas encore certain que la Projection soit votre mécanisme de défense ? Alors, ce qui suit vous le dira. (Soyez cependant prévenu : certains des exemples présentés risquent d'être difficiles à confronter.)

Vous savez que vous avez découvert des armes de Projection massive quand…

… vous croyez que tout le monde triche avec les impôts, puisque vous le faites.

… vous êtes sûr que la rage au volant est entièrement la faute à ces *autres* idiots qui roulent trop vite et conduisent mal.

... vous avez obligé votre partenaire à rompre alors que vous étiez la personne qui souhaitait que la relation prenne fin.

... vous dites « Il me méprise », alors qu'en fait, c'est vous que vous méprisez.

... vous êtes jaloux parce que *vous* l'aimez et que vous croyez que tous les autres hommes sont forcément attirés par elle, eux aussi.

... vous avez une liaison et tout ce que fait votre épouse vous paraît suspect.

... vous pensez que tout est dégoûtant dans les médias parce que c'est rempli d'allusions sexuelles.

La récompense

La Projection semble vous délivrer de votre responsabilité personnelle. Dans le processus, ce que vous projetez sur les autres vous empêche de voir ce dont vous avez réellement besoin, puis d'en assumer la responsabilité afin d'avancer dans la vie.

Il est épuisant d'être constamment en contradiction avec votre entourage, en accablant tout le monde de critiques et de jugements. Le fait de vous barricader derrière des affirmations négatives est épuisant également. D'ailleurs, quand vous cessez de vilipender vos êtres chers et de les accuser de tous les maux de la terre, ils deviennent vos alliés plutôt que vos adversaires. Il va de soi que votre cœur n'a pas besoin de toutes ces armures lorsqu'une armée d'amis, de membres de la famille, de collègues et d'autres personnes sont de votre côté. Faites-vous cadeau de cette nouvelle compassion pour vous-même, et vous bénéficierez d'un soutien qui vous permettra de relâcher la garde suffisamment pour faire face aux pensées et émotions désagréables et de les maîtriser.

Lorsque vous retirerez cette armure du cœur, toute l'énergie qui se libérera servira à améliorer votre vie dans tous ses aspects, y compris votre emploi, vos relations, votre créativité, vos passions et votre spiritualité.

Chapitre 3

CESSEZ DE TROUVER DES EXCUSES : LIMITEZ LA *RATIONALISATION*

Définition du *Petit Robert* :

Rationalisation : Justification consciente et rationnelle d'une conduite inspirée par des motivations inconscientes.

Élever des enfants est une tâche ardue, mais tellement gratifiante. La joie de les observer devenir des hommes et des femmes est, pour bon nombre de gens, leur plus belle raison de vivre. Mais accompagner ses enfants dans l'enfance, les aider à traverser l'adolescence puis à atteindre l'âge adulte peut souvent, disons-le, nous mettre à rude épreuve également.

En plus d'être nous-mêmes des parents, nous donnons depuis des années des séminaires sur l'éducation des enfants. Des mères et des pères s'y inscrivent avec de grands espoirs et rêvent même d'obtenir « le bon conseil » qui leur permettrait de sortir de l'impasse. Parfois, nous aidons des parents, en consultation de groupe, et la relation avec leurs enfants prend une meilleure tournure. Mais il arrive aussi que certains aient besoin d'aide supplémentaire et nous leur recommandons alors de venir en consultation privée. Nous sommes parfois aussi stupéfiés qu'eux! Dans ces groupes, nous voyons fréquemment la frustration et l'embarras que les parents ressentent quand ils s'aperçoivent qu'ils n'ont pas établi de liens avec leurs enfants, avec patience et prudence. Nous pouvons presque prédire qu'au moins dans chaque groupe, nous entendrons quelques parents justifier les mesures qu'ils ont prises — ou n'ont peut-être *pas* prises.

Et cela nous amène à notre troisième armure du cœur, la *Rationalisation*. Nulle part ailleurs ce système de défense n'est plus utilisé par les parents d'adolescents que le sujet des attitudes sociétales à l'égard de la sexualité... est-ce vraiment une surprise?

Dans un récent groupe composé de parents de jeunes ados, l'une des mères a relaté comment elle avait trouvé sa fille en train de regarder une annonce pour une nouvelle émission TV à l'intention des adolescents. Les personnages s'embrassaient à pleine bouche, allongés sur un lit tout en se dévêtant... et cela à 19 h, rien de moins! À son tour, un père s'est plaint en racontant que les chansons que son fils écoutait dans sa chambre ne parlaient que de sexe et de grosses fesses. Mince! La discussion a pris une tournure animée, même si tous les parents convenaient que la vie avait bien changé en raison du très grand nombre d'occasions de stimuli sexuels auxquelles les jeunes sont exposés dans la culture populaire d'aujourd'hui.

Nous nous sommes concentrés sur l'objectif d'établir des limites saines autour de la sexualité. Comme nous l'avions prévu, certaines personnes ont commencé à justifier pourquoi il était si difficile et accaparant de même essayer d'établir des limites à la maison. Le raisonnement de certains parents ressemblait à celui de leurs enfants :

- Tous leurs amis regardent ces émissions.

- Tous les gens qu'ils connaissent écoutent la même musique sur *leur* iPod.

- Ils auront des rapports sexuels, qu'on le veuille ou non.

Ces affirmations immatures leur permettaient d'éviter de ressentir de l'inconfort. D'abord, selon eux, être un parent qui pose des limites à son enfant risque de l'empêcher d'être son meilleur ami et le pousse tête baissée dans le rôle de protecteur responsable. La tâche est difficile et ingrate, surtout avec un adolescent. Ensuite, la sexualité est un sujet délicat à la fois pour les parents et pour les jeunes. Faire face à la sexualité émergente de son enfant peut remuer toutes sortes d'émotions.

C'est une époque où les parents ont tendance à s'en remettre à ces rationalisations immatures, car ils s'y *sentent* beaucoup plus en sécurité que dans le champ de mines sur lequel ils devraient avancer, s'ils affrontaient vraiment la situation. Car tout est là, dans ce mot… *sentir*.

Comme tous les mécanismes de défense, la Rationalisation devient un outil judicieux pour nous débarrasser des pensées et des émotions dérangeantes. Elle nous amène dans un lieu où les sensations désagréables se retrouvent systématiquement dans un endroit objectif et non menaçant.

La Rationalisation s'épanouit dans les moments les plus vulnérables. Cette armure du cœur se manifeste surtout quand il faut faire face :

- à une blessure ou une perte ;

- à la déception de ne pas avoir atteint des objectifs qui nous ont échappé ;

- à de la gêne ou de l'humiliation ;

- au sentiment de ne pas être à la hauteur d'une situation à régler.

Penser qu'« il faut » vous donne l'impression d'avoir réfléchi et pris une décision consciente. Mais une fois de plus, rappelez-vous que comme pour tous les mécanismes de défense, le « il faut » vient souvent d'un lieu très profond — votre inconscient — et vous ne le savez pas vraiment. Tout le monde fait parfois appel à la Rationalisation pour se sortir d'une impasse affective. Être humain signifie que, de temps en temps, vous utiliserez cette armure consciemment : des moments où vous trouverez des excuses pendant qu'une petite voix criera dans votre tête *Tu dis des bêtises !* Cela veut dire également qu'en périodes d'inconfort, vous inventerez des excuses ou ferez des affirmations « rationnelles » que vous croirez parce qu'elles *devraient* être vraies… alors qu'elles ne le sont pas.

Au rayon du cœur

Un chercheur du College of Business de l'université de Cincinnati étudie «les emplois ingrats», c'est-à-dire ceux qui ont un côté détestable. Avec son équipe de recherche, il examine présentement le rôle des directeurs dans des occupations comme gardien de prison, avocat spécialisé en dommages personnels, préposé à la fourrière, saltimbanque ou vendeur de voitures d'occasion. Il a découvert que certains responsables adoptaient différentes tactiques pour composer avec le fait qu'ils travaillaient dans des domaines que le grand public fuit habituellement.

Ils utilisent entre autres la Rationalisation : ils tentent de justifier une différence entre leur fonction et celle de leurs employés ou de leurs pairs. Par exemple, le gérant d'une boîte de striptease se justifie en déclarant se distinguer des activités sordides de son club parce que, après tout, ce n'est pas lui qui se déshabille. Dans un autre cas, le directeur d'une entreprise de toitures commerciales considère que le travail de sa compagnie requiert plus de compétences et de connaissances que celui effectué par les couvreurs résidentiels manuels. C'est un véritable cas de rationalisation à l'œuvre !

Il y a trois principaux scénarios de Rationalisation :

1. Lorsqu'*on vous a fait quelque chose* que vous n'arrivez pas à accepter…

- Quelqu'un d'autre a obtenu l'emploi qui devait vous revenir.

- Vous n'avez pas été choisie pour faire partie de l'équipe de majorettes.

- Quelqu'un a fait une meilleure offre pour la maison que vous convoitiez.

- Votre meilleure amie ne vous a pas choisie pour être demoiselle d'honneur à son mariage

2. Lorsqu'il *vous est arrivé quelque chose* qu'il est gênant ou difficile d'accepter…

- Vous avez trébuché sur un de vos lacets au supermarché.

- Vous avez laissé vos clés dans la voiture verrouillée — encore une fois.

- Vous avez dû vous lever pour aller aux toilettes plusieurs fois durant une réunion d'affaires.

- Vous avez choisi de ne pas assister aux funérailles d'un ami.

- Vous vous êtes procuré une voiture dispendieuse que vous n'aviez pas les moyens de vous offrir.

3. Lorsque *vous avez fait quelque chose à quelqu'un d'autre* dont vous n'arrivez pas à assumer la responsabilité…

- Vous avez embouti la voiture de quelqu'un à un stop.

- Vous avez passé devant tous les autres dans la file d'attente.

- Vous vous êtes montré ingrat avec le serveur en ne lui laissant pas un pourboire suffisant.

- Vous n'avez pas invité votre voisin à faire partie de la ligue sportive de votre région.

- Vous avez crié contre vos enfants parce qu'ils n'avaient pas fait leurs devoirs.

Ces exemples ne sont que quelques-uns des millions de petites choses susceptibles d'arriver. Vous avez sans doute déjà en tête une liste de choses qu'on vous a faites, que vous vous êtes faites ou que vous avez fait à quelqu'un sans pouvoir les accepter.

Afin de donner un sens à la peine et à la blessure que vous ne tolérez pas, vous trouvez des excuses — des façons de penser — et vous décidez d'y croire.

Quand nous ressentons la honte, l'embarras ou la gêne, une partie très astucieuse du psychisme se met en œuvre. Vous savez à quel point tout le monde parle de l'ego ?

Qu'est-ce que c'est, en réalité ? Dans la société moderne, l'*ego* comporte plusieurs sens : il peut s'agir de l'estime personnelle, d'une trop haute opinion de soi ou, en termes philosophiques, du Moi.

Toutefois, selon Sigmund Freud, l'ego est la partie de l'esprit où se situe la conscience. On dit qu'il fonctionne sur le principe de la réalité, c'est-à-dire qu'il nous permet d'exprimer nos désirs, nos élans et notre moralité par des moyens réalistes et appropriés socialement. L'ego tient lieu de raison et d'avertissement, et il se développe avec l'âge.

Il existe une autre partie de nous-mêmes, que Freud appelle le *surmoi*, et qui nous rappelle à l'ordre. Il peut se révéler utile pour nous garder dans le droit chemin, maîtriser nos émotions, et rester en accord avec nos valeurs morales. Lorsque nous faisons quelque chose en sachant que cela va à l'encontre de notre système de valeurs, l'ego se défend en trouvant des excuses pour protéger notre sens du moi — autrement dit notre identité. Il le fait en proposant des raisons logiques que notre compas moral peut accepter. Et cela, plusieurs fois par jour !

Un exercice pour exorciser vos excuses

Pendant une semaine, notez le nombre d'excuses que vous trouvez par jour. Faites la liste :

- Des excuses que vous trouvez délibérément — celles qui font réagir votre esprit en vous criant *Tu dis des bêtises !* — à l'instant même où elles sortent de votre bouche. Vous connaissez très bien ces rationalisations.

- Des excuses que les autres vous disent que vous trouvez. Ce sont là des rationalisations qui ont un sens pour vous à première vue… jusqu'à ce que quelqu'un vous signale ce qu'elles sont réellement : des excuses !

Examinez bien votre liste. De quelle façon toutes ces raisons et explications logiques vous ont-elles servi jusqu'ici ? Quels sont les aspects difficiles dans votre vie que vous ne voulez pas affronter ? Quelles conséquences avez-vous subies pour *ne pas* y avoir fait face ?

L'histoire d'Austin, un de nos patients de longue date, pourra sans doute vous aider.

Passer à côté de son rêve

Austin était un étudiant universitaire qui avait fait partie d'un groupe d'enfants dont nous nous occupions il y a plusieurs années. Ce groupe avait été conçu à l'intention des enfants de familles reconstituées. Nous avions gardé le contact avec lui et sa magnifique famille. Dès le début, nous avons été émerveillés qu'Austin sache si tôt qu'il allait fréquenter la même université et se joindre à la même confrérie que son père. Même à l'âge de neuf ans, il se présentait dans le groupe avec un pull beaucoup trop grand qui arborait le nom de l'université de papa. Le demi-frère d'Austin, Mike, de six ans son aîné, avait été le premier à faire partie de la fraternité de leur père. Austin parlait avec fierté du jour où tous leurs noms figureraient sur le mur de l'association des étudiants.

Chaque automne, Austin nous téléphonait. Nous étions toujours touchés de cette pensée et honorés de tenir une place spéciale dans son cœur. Puis, vint l'année où Austin allait être admissible à faire partie de la confrérie de son père, et nous nous attendions à ce qu'il nous en parle lors de son prochain appel. Austin a commencé par nous dire à quel point tout allait bien en classe. Il a parlé de son réseau social et de toutes les soirées amusantes auxquelles il participait. Il a parlé de ses camarades de chambre, de ses cours de biologie, de chimie et de civilisations anciennes… tout sauf de ce à quoi nous nous attentions. Pas un mot sur ce dont il nous avait tant et tant parlé : la confrérie. Comme rien ne nous échappe (ce qui est à la fois notre force *et* notre faiblesse!), nous avons délicatement mis le sujet sur le tapis et lui avons posé la question.

Il a eu une légère hésitation. Or, Austin n'hésitait jamais et cela nous a paru étrange. Quelque chose n'allait pas. Austin a écarté le sujet avec désinvolture en déclarant : «Ces idiots ne m'ont pas demandé de jurer allégeance.» Puis, il a expliqué avec force détails, qu'au cours de la dernière année, il en était venu à réaliser que les confréries n'étaient qu'une grosse farce. Il maintenait catégoriquement qu'elles s'adressaient aux gars qui refusaient de devenir adultes et ne souhaitaient que «se défoncer». «Après tout, a-t-il poursuivi, je ne suis pas à l'université pour socialiser. J'étudie pour faire quelque chose de ma vie.» Il a par la suite expliqué qu'il n'avait jamais vraiment admiré ni fait confiance aux associés de son père, ses camarades de confrérie.

Pendant dix ans, Austin n'avait eu d'yeux que pour la confrérie, sa fraternité, et l'influence positive de celle-ci sur la vie de son père. Maintenant, il n'en finissait plus de nous dire à quel point il était soulagé d'avoir davantage de temps à consacrer à ses études, et content de fréquenter d'autres étudiants qui n'en faisaient pas partie non plus, et qui lui semblaient beaucoup plus intéressants. Connaissant Austin, ces propos ne concordaient pas avec sa pensée. Nous lui avons demandé s'il était *sincère* en disant qu'il allait bien. Il n'a pas voulu en parler. Par ailleurs, nous savions pertinemment qu'il n'était plus de notre ressort d'approfondir ce qu'il ressentait face à cette infortune. Il se servait manifestement de la Rationalisation pour protéger son cœur. On ne lui avait pas proposé de faire partie de ce qui avait été si important pour lui, de même que pour son frère et son père, et durant si longtemps.

Ne pas réaliser le rêve qu'il caressait depuis l'enfance était trop douloureux à affronter, et Austin a donc dressé des barrières pour se protéger de cet atroce sentiment de perte. Il s'est totalement barricadé au moyen des rationalisations et cela ne lui a pas rendu service. Il était désormais incapable de faire la paix avec son cœur blessé pour pouvoir *vraiment* avancer dans la vie.

Lorsque nous restons trop longtemps en mode Rationalisation et que nous ne faisons pas face à l'inévitabilité du chagrin, nous nous exposons à d'autres pertes et à d'autres malheurs. Tout le monde agit ainsi à un moment ou l'autre — nous cherchons tous un moyen de ne pas voir l'arbre qui cache la forêt.

Austin devait trouver un autre endroit où « se percher ». Il avait besoin d'amis. Il était essentiel pour lui de ne pas rester coincé attendant quelque chose qu'il n'obtiendrait jamais. C'était d'une importance cruciale s'il voulait poursuivre sa vie. Sauf qu'il avait sauté une étape majeure : admettre et reconnaître les sentiments qu'il fuyait, c'est-à-dire la blessure, la déception, l'humiliation, etc.

Et nous arrivons à la partie difficile. Comment fait-on pour ramener à la surface ces émotions enfouies ?

Écouter, s'interrompre, en faire l'expérience

Afin de prendre conscience des moments où vous rationalisez, essayez l'exercice suivant.

Écouter

Portez attention aux mots que vous prononcez. Utilisez-vous des phrases typiques de Rationalisation ? En voici quelques-unes :

- Je m'en fiche.
- Qu'est-ce que ça peut faire ?
- Je n'en voulais pas, de toute façon.
- Ce n'est pas ma faute.
- Ça n'a jamais été important pour moi.
- Je ne ressens rien à ce sujet.
- Ça n'a rien à voir avec moi.

S'interrompre

Quand vous vous surprenez à faire ce genre de déclarations, tout haut ou pour vous-même, cessez immédiatement et reprenez-vous. Vous interrompre au milieu d'une pensée peut sembler aussi décourageant que d'essayer d'attraper un papillon sans filet. Mais ne désespérez pas. Plus vous arriverez à capter vos croyances pessimistes, plus vous vous habituerez à vos schémas de pensée et de sentiment, et cela deviendra de plus en plus facile. Et quelle est la méthode secrète à utiliser pour vous arrêter de rationaliser ? Transformez aussitôt vos pensées négatives ! Reformulez vos fausses vérités et transformez-les en affirmations positives :

- Cela me tient à cœur.
- C'est vraiment important.
- Je le veux vraiment.
- J'ai mal agi.
- C'était très important pour moi.
- Je suis très préoccupé de ce qui s'est passé.
- Je suis entièrement responsable.

En faire l'expérience

Affrontez votre réaction viscérale quand vous ressentez une perte ou de l'embarras. Chaque fois que vous pratiquerez cette méthode, vous apprendrez à mieux examiner et tolérer les sentiments que vous cherchez à fuir. Dans quelle partie de votre corps ressentez-vous quelque chose ? Est-ce de l'inflammation au visage ? Un nœud à l'estomac, de la nausée ? Le cœur qui s'accélère ? Votre poitrine qui tombe ou qui vacille ? (Bon, d'accord, cette dernière réaction visait seulement à mettre un peu de légèreté dans un exercice pas facile à saisir !)

Se servir de la Rationalisation est une garantie dont vous ne serez jamais satisfait. C'est une stratégie pour éteindre vos espoirs et vos rêves. Ce que vous voulez vraiment dans la vie passera inaperçu. Rationaliser est une façon d'avancer sans vous rendre compte que vous fuyez quelque chose, sans savoir ce que vous perdez. Mais en réalité, vous n'avancez pas du tout.

Pour Austin, ne pas prêter attention à ce qu'il désirait ardemment a eu de grosses conséquences. Il était déjà isolé et rejeté par la confrérie de son frère et de son père, et sa rationalisation n'a fait que perpétuer cette perte. Elle a dévalué ses relations avec les personnes importantes de sa vie. Lorsqu'il gardait son cœur à l'abri de la douleur, il disait : « Je n'ai pas besoin d'être si proche de mon père et de mon frère. C'est sans importance. » Et finalement, il était destiné à agir comme si c'était vrai. Ce « mensonge » allait le maintenir dans l'isolement et protéger son cœur de son véritable désir : l'attachement. Ironiquement, s'il avait baissé la garde et fait face à ce qu'il ressentait tout en en parlant à ceux qu'il aimait, il est fort probable qu'il aurait consolidé sa place dans la « fraternité » de sa famille.

Si l'histoire d'Austin n'a pas encore clarifié le concept de la Rationalisation une fois pour toutes, notre questionnaire vous permettra peut-être d'y arriver. Répondez aux questions rapidement et sans réfléchir. N'essayez pas de trouver la « bonne » réponse.

Imaginez que...

1. Votre meilleure amie vous dit : « On dirait que tu as pris quelques kilos depuis notre dernière rencontre. » Qu'auriez-vous tendance à répondre ?

a. Je viens d'acheter cet ensemble et ça me grossit.

b. Oui, j'ai été très stressée ces derniers temps et j'ai trop mangé pour me réconforter. Je dois retrouver un régime alimentaire sain.

2. La jeune femme dans le bureau voisin a obtenu la promotion que vous méritiez. Qu'auriez-vous tendance à dire ?

a. Elle couche sûrement avec le patron. De toute façon, je n'avais pas envie de travailler les longues heures que le poste demande.

b. C'est injuste. Je dois parler à mon superviseur.

3. La banque vous appelle de nouveau à cause de trois autres chèques sans provisions. Qu'auriez-vous tendance à répondre ?

a. Je ferme mon compte parce que cela se produit constamment à *votre* banque.

b. Je suis vraiment désolée. J'ai oublié de déposer deux chèques et je m'en occupe immédiatement.

4. Votre voisin appelle pour se plaindre que votre chien aboie depuis le matin. Qu'auriez-vous tendance à répondre ?

a. Tous les chiens aboient ! Et si vous n'aimez pas les chiens, vous n'avez pas emménagé dans le bon quartier.

b. Je suis désolée qu'il vous ait réveillé. Dorénavant, je le garderai à l'intérieur le matin.

5. Votre médecin vous signale que votre tension sanguine est beaucoup trop haute. Qu'auriez-vous tendance à répondre ?

a. La circulation était épouvantable ce matin et il n'y a jamais de place dans votre parking. Cela ferait grimper la pression à n'importe qui.

b. Je suis inquiet. Je dois apporter certains changements à mon mode de vie et trouver le moyen de contrôler le stress.

6. Vous avez par mégarde supprimé des données informatiques essentielles de l'entreprise. Qu'auriez-vous tendance à dire?

a. Ça fait des mois que je répète qu'il nous faut un nouveau système.

b. Je me sens lamentable. Je travaillerai le week-end prochain pour réparer mon erreur.

Si vous avez surtout répondu par (a), il est probable que la Rationalisation soit votre mécanisme de défense. Vous pouvez voir clairement que vous avez tendance à saisir la première excuse plutôt que d'affronter des sentiments comme l'embarras ou la peur. Si vous agissez ainsi régulièrement, cela fait partie de votre façon de penser habituelle. Vous repoussez les sentiments véritables et gardez votre cœur sous clé. Conserver cette armure ne vous aidera certainement pas à identifier ce qui est essentiel pour vous afin de connaître une plus grande satisfaction.

Si vous avez surtout répondu par (b), vous êtes prêt à explorer quelques autres mécanismes de défense!

La récompense

La Rationalisation enferme votre cœur dans une camisole de force. Libérez-le! La douleur que vous ressentirez d'être passé à côté de quelque chose que vous vouliez sera de courte durée. Si vous la fuyez, vous perdrez la chance de faire la lumière sur ce qui importe le plus pour vous.

Ce que vous vouliez *était* vraiment important. Il est donc inutile de faire semblant que ça ne l'était pas. Lorsque vous écartez vos objectifs en rationalisant la situation, vous évitez de reconnaître ce qu'ils signifiaient pour vous. Vous vous empêchez de connaître la véritable satisfaction. Prendre le pouls de vos désirs, même quand vous ne les atteignez pas, vous aidera à diriger votre énergie positivement vers d'autres rêves que vous *pouvez* réaliser. L'attente est quelque chose de réel et de précieux, une passion susceptible de vous motiver. Plutôt que de la nier, trouvez une façon différente de la nourrir et de la satisfaire. Lorsque vous cesserez de vous leurrer sur ce que vous vouliez si ardemment, vous vous connecterez sur autre chose de tout aussi valable et vous le réaliserez. Vous découvrirez enfin que la plénitude se présente sous différentes formes.

Chapitre 4

USEZ DE VOTRE TÊTE ET DE VOTRE CŒUR : FREINEZ L'*INTELLEC-TUALISATION*

<u>Définition du *Petit Robert*</u> :

Intellectualisation : Mode de résistance qu'un patient oppose à la cure en traitant ses problèmes en termes rationnels et généraux pour éviter d'aborder les conflits affectifs personnels.

Avez-vous déjà eu une conversation avec quelqu'un dont l'impassibilité vous surprenait, vu l'impact émotionnel des faits relatés ? En l'écoutant, c'est *vous* qui ressentiez des vagues de tristesse, d'inquiétude ou de détresse, tandis que votre interlocuteur semblait totalement déconnecté. Vous étiez le seul des deux à *vivre* l'intensité de la situation.

Vous avez été témoin d'une fuite de l'état de conscience, d'une fuite de la sensibilité. Votre interlocuteur battait en retraite pour éviter de ressentir l'angoisse. Du même coup, il bloquait toute possibilité de contact avec vous.

Le mécanisme de défense dont nous allons maintenant parler, l'*Intellectualisation*, a cet effet sur les gens. De nombreux professionnels de la santé mentale qualifient cette armure du cœur « isolation de l'affect », c'est-à-dire la façon dont un individu se retire du contenu émotionnel d'une situation. Nous préférons utiliser l'expression « faire taire le cœur ». L'Intellectualisation, c'est ce lieu dont une part de vous-même se déconnecte parce que vous vous en coupez : l'essence, l'âme, le désir, *vous*.

Ce mécanisme est étonnamment facile à utiliser quand nous sommes affectés par une maladie grave. Dans le monde d'aujourd'hui, ce qui nous « touche » le plus et nous fait craindre Dieu, c'est le cancer. Combien de fois vous êtes-vous retrouvé à un dîner où le sujet portait sur une personne qui venait d'être frappée par cette maladie ? Avez-vous déjà entendu un convive signaler le taux de cholestérol de quelqu'un ? Probablement pas. Le cancer occupe une place centrale dans la vie de plusieurs, car les connaissances relatives à cet agresseur sans discrimination croissent de façon exponentielle, et que de plus en plus de gens en sont conscients. Le bon côté, c'est que cela favorise la prévention et un traitement précoce. Les taux de survie sont en augmentation et le fait est que le cancer n'est plus systématiquement une sentence de mort. De plus en plus de survivants sont là pour en témoigner et nous informer.

Mais malgré l'accumulation des données relatives à l'amélioration du taux de survie, on fait souvent appel à celles-ci pour essayer d'extirper l'émotion d'une expérience douloureuse. Des faits, des chiffres, des sondages récents, des articles à la une, et des informations dans Internet deviennent des armures que nous utilisons pour nous préserver de la peur, de la souffrance et de l'immense angoisse que les incertitudes de la vie suscitent. Voilà pourquoi ce mécanisme vient vite à la rescousse pour sauvegarder notre fragile sensation de soi.

Armée des rapports convaincants les plus récents, l'Intellectualisation devient l'amie qui vous aide à vous déconnecter de la *douleur* (vos sentiments) afin de s'aligner avec le *cerveau* (votre intellect). Dans le scénario du cancer, il serait parfaitement compréhensible de vous dérober face aux sentiments d'effroi et de panique susceptibles de vous engloutir, advenant que votre médecin prononce ce redoutable diagnostic. Rappelez-vous : les mécanismes de défense ne sont pas là pour rien. Vous ne lisez pas ce livre pour vous débarrasser complètement de ces armures réconfortantes. Il s'agit plutôt de trouver en vous-même des modèles susceptibles de vous desservir à long terme. Bien qu'il soit sensé de vous raccrocher aux faits et au jargon scientifique qui, dans l'immédiat, vous soulageraient de l'angoisse, cela pourrait également vous faire du tort.

Ce mécanisme représente le « sac d'astuces » de la partie pensante dont vous vous servez pour vous débarrasser des peurs de toutes sortes, pas seulement celles du cancer. L'Intellectualisation est la voie que vous prenez pour vous anesthésier émotionnellement tout en créant une impression de contrôle. Dans ce monde turbulent où vous êtes à la merci de machines, d'étrangers et de médicaments dont vous ne pouvez même pas prononcer le nom, renoncer à cette maîtrise intellectuelle semble au premier abord représenter une trop grande perte. Et personne ne peut vous demander cela avant que vous ne soyez prêt. Mais quand vous *serez* prêt à lâcher prise sur l'information logique, de bonnes choses se produiront.

Quand vous cesserez d'utiliser toutes vos connaissances pour vous protéger de ce qui vous fait le plus peur — vous effondrer — vous risquerez *moins* en fait d'avoir l'impression de vous écrouler de peur. Baisser la garde qui vous protège de vos émotions vous permettra d'explorer d'autres avenues de soutien.

Retirer son armure d'Intellectualisation a permis à notre patiente Susan de se sentir plus réconfortée et plus en contrôle de son état de santé.

Elle verbalisait, lui souffrait

C'était la deuxième fois que Susan se battait contre le cancer. Elle venait juste de franchir le cap des cinq ans de rémission et se croyait sortie d'affaire. Après tout, ne dit-on pas dans les revues scientifiques que lorsqu'on est en rémission depuis cinq ans ou plus, la possibilité de récidive diminue beaucoup. Malheureusement, le cancer du sein était réapparu et de plus belle : il en était maintenant au stade IV, soit deux fois pire que le premier diagnostic. James, le mari de Susan, était terrifié et nous a appelés. En consultation, il traînait avec lui toutes les peurs des cinq dernières années.

James et Susan, tous deux âgés de 52 ans, se connaissaient depuis l'adolescence et étaient mariés depuis 25 ans. De temps en temps, au cours des deux dernières décennies, ils étaient venus nous consulter, ensemble ou individuellement, et parfois avec leurs enfants. Comme Susan se plaisait à dire : « Nous venons pour notre petite mise au point ». C'était le genre de personnes agréables à recevoir en consultation. Intelligents, drôles, empathiques, et gentils l'un pour l'autre ainsi qu'à l'égard de leurs enfants. Ils avaient su mettre notre aide à profit en périodes de crise et de chagrin, faisant preuve de respect et d'aptitude à écouter ce que nous disions pour l'appliquer judicieusement dans leur vie de couple.

L'une des choses qui leur est apparue plus claire avec les années — et ce couple y faisait souvent référence avec humour — était la façon très différente de chacun de réagir aux difficultés, malgré leur compatibilité. Par conséquent, James savait qu'une occasion de plus se présentait où leurs différences risquaient de leur donner l'impression de se sentir seuls et déconnectés. Déjà, Susan accordait plus de temps à son ordinateur qu'à lui et à leurs enfants.

Susan, une personne très chaleureuse et aimante, avait toujours trouvé consolation dans l'écrit. Enfant unique, elle avait un esprit curieux et sa relation avec son père veuf était basée sur le débat et le badinage intellectuel. La mère de Susan était morte d'un cancer du sein à 48 ans, après avoir souffert pendant trois ans. Susan avait suivi les traces de son père et était devenue chercheur scientifique. Le fait de partager avec son père à quel point elle avait peur avait conduit celui-ci à se replier sur lui-même, même si leur intérêt pour les revues médicales et les livres de la bibliothèque les gardait rapprochés.

Quand James est entré dans la vie Susan à l'âge de 15 ans, il amenait les siens avec lui. Ses sœurs et son frère se sont tout de suite bien entendus avec elle, et Susan a eu l'impression d'avoir trouvé une nouvelle famille. C'était des gens bruyants, turbulents et souvent ergoteurs ; mais personne ne pouvait les accuser d'être collet monté. Susan était aux anges. Comme dans tous les couples qui essaient de se construire une vie commune, ce qu'elle aimait chez James et sa famille — leur désir d'exprimer leurs émotions sans ambages, le fait qu'ils soient si accessibles — était aussi une source d'irritation constante pour elle.

Des années plus tard, quand le cancer de Susan est réapparu, James était effrayé. Il avait besoin d'aide pour distinguer ce qu'*il* avait peur de perdre de ce qu'il devait faire pour l'aider *elle*. C'était son corps à elle, son cancer, sa vie, et James se sentait exclu. Chaque fois qu'il tentait de lui parler de ses émotions, de ses craintes et de ses inquiétudes, Susan reportait son attention sur des faits, des chiffres, des statistiques et de nouveaux traitements. Elle avait même envisagé de se rendre à Mexico pour y suivre des traitements alternatifs.

. L'histoire de Susan avait démontré à James que c'était sa façon à elle de réagir. Quand les émotions devenaient trop difficiles à supporter, l'Intellectualisation était sa façon d'interagir avec son père. Elle refusait complètement le réconfort que son mari et ses enfants pouvaient lui apporter et James avait du mal à comprendre cette réaction, puisque Susan en aurait éventuellement besoin quand la douleur deviendrait extrême. Il était abasourdi par la colère qu'il éprouvait contre elle et avait besoin de notre aide pour ressentir de la compassion pour son épouse et pour lui-même.

Ce cancer les dépassait. Susan n'avait tout simplement plus le temps de venir voir ses bons «vieux» thérapeutes. Au moins avec James en consultation, nous pouvions le soutenir et spéculer ensemble sur l'avenir de la famille. Connaissant très bien Susan, nous avons suggéré à James de l'aider à atténuer sa propension à l'Intellectualisation, ce qui serait bénéfique pour tous. Il était crucial que James réduise sa frustration et commence à sentir qu'il n'était pas impuissant.

Nous l'avons encouragé à se servir autant que possible du courrier électronique pour s'adresser à Susan. Il pouvait aussi trouver lui-même des articles et discuter du pour et du contre des traitements alternatifs. Nous avons suggéré que chacun y mette du sien en fournissant des renseigne-ments glanés de différentes sources.

Il fallait d'abord et avant tout que James fasse le premier pas pour établir le contact avec Susan. Il était impératif qu'il la rejoigne en terrain connu — c'est-à-dire par les mots et non par les émotions. Lui retirer son armure maintenant risquait de la laisser à vif prématurément.

Parallèlement, afin de respecter l'importance pour James d'exprimer sa chaleur et sa préoccupation, il allait continuer de lui écrire des lettres d'amour et lui envoyer des courriels tendres de même que des fleurs quand il en sentait le besoin. Mais il ne devait pas s'attendre à recevoir la même attention ni le même amour de la part de sa femme. S'il s'adaptait à ses besoins, celle-ci finirait par être moins sur ses gardes, plus apte à confronter ses peurs, et cela leur permettrait ulti-mement de pouvoir se réconforter l'un l'autre.

Au fil des ans, Susan avait bénéficié du luxe d'un havre de paix occasionnel où se réfugier : sa relation thérapeutique de longue date avec nous. Nous lui offrions un lieu où elle pouvait parvenir à comprendre les racines familiales de son Intellectualisation. En réunissant les raisons pour lesquelles elle avait développé ce mécanisme particulier de défense, elle était capable d'en retirer quelque chose : elle avait pu le reconnaître et le percer à jour plus d'une fois dans sa vie. Malgré cela, elle continuait d'avoir recours à son armure préférée dans les moments de grande anxiété.

Même si les six mois suivants ont été des mois d'angoisse et de souffrance, la capacité de James à s'occuper de Susan, comme elle en avait besoin à ce moment-là, a aidé celle-ci à se sentir soutenue, comprise et entourée. Peu à peu, elle a pu communiquer avec son mari et lui parler non seulement de ses appréhensions médicales, mais aussi de sa peur de mourir et de quitter ses êtres chers. C'est ainsi qu'elle et James ont pu former de nouveau une équipe. Ils ont commencé à rire et à pleurer au sujet de ce qu'avaient été leur monde et leurs espoirs pour l'avenir. Susan est même revenue *nous* voir et nous avons pleuré tous ensemble.

❦

Parfois, l'Intellectualisation est tellement enracinée dans chaque facette de votre vie qu'elle *devient* vous-même — l'image que vous projetez dans le monde, votre personnalité, votre style. Vous connaissez sûrement quelques personnes qui se considèrent comme extrêmement intelligentes. Elles le sont sans doute, mais elles sont aussi totalement incompétentes en matière d'émotions. On les qualifie habituellement d'inaccessibles, incapables ou peu disposées à réagir à la joie, à la perte, ou au chagrin.

Tristement, il existe une maladie qui équivaut à être immunisé contre toute sensation. Il s'agit d'un trouble héréditaire — *le syndrome de Riley-Day* — qui affecte surtout un pourcentage de juifs ashkénazes (des Israélites originaires d'Europe centrale). Ce syndrome affecte le fonctionnement du système nerveux autonome et empêche de ressentir la douleur. Lorsque les personnes atteintes ont des blessures corporelles, elles n'ont pour ainsi dire aucune sensation physique. Elles ne peuvent pas pleurer et n'ont pas conscience d'être blessées.

Vous pensez peut-être que ce doit être génial de ne jamais souffrir ? Bien sûr, l'inconfort n'a rien d'amusant, mais il demeure que physiquement ou psychologiquement, il nous signale un problème à régler. Imaginez que vous posiez la main sur la cuisinière et que vous ne vous aperceviez du danger qu'en sentant l'odeur de votre peau qui brûle ! L'Intellectualisation correspond à souffrir du syndrome de Riley-Day sur le plan affectif. Imaginez que votre vieux chien de 16 ans meure et que vous ne ressentiez rien du tout. Cela voudrait dire que toutes ces années passées ensemble n'auraient pas signifié grand-chose pour vous.

Ce n'est qu'en éprouvant la tristesse qu'on peut connaître le bonheur. La douleur et la souffrance vous signalent que vous êtes en vie. Elles vous préservent du danger et vous permettent d'être reconnaissant pour les bons moments de votre vie.

Vous n'avez peut-être pas l'avantage, comme Susan, d'avoir quelqu'un à vos côtés pour déceler votre Intellectualisation. Bien entendu, comme pour n'importe quel mécanisme de défense, il est difficile de se voir soi-même et d'affronter ses armures sans personne pour nous les refléter. Ce livre jouera le rôle de cette autre personne qui pourra vous aider à y réfléchir. Regarder en face la manière dont vous utilisez des paroles ou des phrases condescendantes dans le but de vous protéger du danger affectif est loin d'être facile. Il faut consentir à prendre conscience à quel point vous êtes éloigné de vous-même et accepter d'être vulnérable.

Pourquoi devriez-vous faire l'exercice, sachant qu'il vous faudra examiner votre armure du cœur ? La plupart du temps, c'est un événement personnel qui vient vous ébranler au plus profond de vous-même. Quelque chose arrive, à vous ou à un être cher, et votre façon habituelle de réagir ne fonctionne plus. Si vous faites partie de ceux qui ont recours à l'Intellectualisation, il est probable que les autres en ont assez de votre habitude de prendre vos distances; et vous, de votre côté, vous demandez pourquoi vous vous sentez si seul.

Les étapes suivantes vous aideront à évaluer si l'Intellectualisation est votre principal mécanisme de défense.

Passez à l'action

Sortez de votre tête et entrez dans votre cœur! Prenez votre cahier et faites les activités suivantes.

Soyez franchement honnête

Au cours de la dernière année, quels événements se sont produits qui sortaient de l'ordinaire pour vous? Trouvez-en au moins trois. Ce pourrait être un décès, une rupture, un nouvel emploi, un souci de santé, des ennuis financiers, un conflit avec un ami proche, un déménagement ou une situation embarrassante. Ne dissimulez rien, même si l'événement vous paraît sans importance. Il n'est pas nécessaire que ce soit négatif. Il peut s'agir d'événements qui auraient dû provoquer de la joie et de l'enthousiasme, des émotions que vous n'avez pas éprouvées. Disons, par exemple, que vous avez reçu une marque d'approbation au travail et plutôt que d'en être fier et content, vous avez justifié celle-ci par des faits et des chiffres.

Faites le bilan

Passez en revue vos réactions à ces événements. Plutôt que vous permettre d'être contrarié, en colère, blessé, stressé ou ravi — suivant les circonstances —, vous êtes-vous «anesthésié» en passant des heures à chercher des réponses sur

Internet ? Avez-vous regardé la télé sans fin ou vous êtes-vous plongé dans des livres à la bibliothèque ou dans la lecture de journaux et de magazines ? Étiez-vous en quête de renseignements qui vous aideraient à trouver un sens à un incident hors de l'ordinaire au lieu de pleurer sur l'épaule d'un ami ou d'exprimer vos peurs à quelqu'un d'attentif et qui aurait sympathisé avec vous ? Si vous avez eu un entretien désagréable avec un ami, un collègue ou un associé, avez-vous sorti votre jargon et des faits pour protéger votre position et la justifier plutôt que d'exprimer votre déception ou votre mécontentement ? Au lieu d'organiser une soirée pour célébrer une bonne nouvelle, êtes-vous simplement passé à la tâche suivante ?

Évaluez

Évaluez les conséquences émotionnelles. Il se pourrait que votre intellect ait mis les bouchées doubles. Le fait même de demander à quelqu'un qui intellectualise d'évaluer ses émotions revient à lui demander de chercher de l'eau dans le désert. Mais essayez quand même d'entrer en contact avec vous-même. Vous vous rappelez peut-être certaines sensations physiques au moment de l'événement ? Des palpitations ? Un mal de tête ? Un afflux de sang aux joues ? Un étourdissement ? Un mal de dos ? Un nœud à l'estomac ? De la constipation ou de la diarrhée ? Absolument *rien* ressenti du tout ? Si c'est le cas, il ne fait aucun doute que l'Intellectualisation est votre mécanisme de défense préféré !

Maintenant, imaginez les autres façons dont vous auriez pu réagir à la situation. Des larmes et de la tristesse ? Vous sentir blessé et en colère ? De la peur et de la frustration ? De la jubilation et du ravissement ?

Immiscez-vous

Brisez votre pattern cérébral en vous immisçant dans la tête de quelqu'un d'autre ! Qui sont les gens que vous admirez et qui ne réagissent pas comme vous aux difficultés, qui vous étonnent à cause de leur capacité d'accepter d'être affectés par leurs émotions ? Ce peut être un proche qui téléphone à tous les membres de la famille pour parler quand il est préoccupé, un associé qui invite au resto les collègues de tout le service quand il réussit une belle vente, une amie qui pleure en entendant qu'un ouragan ou une tornade a ravagé une petite ville, ou quelqu'un qui fait toujours rigoler tout le monde en racontant sa dernière gaffe. Comment réagiraient-ils émotionnellement s'ils étaient confrontés à l'une des situations hors de l'ordinaire auxquelles *vous* avez dû faire face ? Probablement pas comme *vous*. Leur façon d'exprimer leurs émotions, sans utiliser de charabia ni un ton condescendant, est sans doute ce que vous respectez et peut-être même enviez chez eux. *Ils* consentent à être affectés par ce qui se passe dans leur vie... Sachez que *vous* le pouvez aussi.

Cultivez de nouveaux comportements

Vous devez faire semblant jusqu'à ce que vous puissiez y arriver. Exercez-vous en privé à réagir différemment aux choses. Vous avez mis de côté une partie de vous-même depuis si longtemps qu'il peut vous sembler difficile de même imaginer pouvoir avoir une réaction émotive.

Vous pourriez essayer de louer des films tristes ou des documentaires sur un sujet qui vous révolte ou vous émeut, comme le racisme ou l'Holocauste. Visionnez-les seul et laissez les émotions monter en vous.

Déclenchez vos émotions en pratiquant un sport sécuritaire mais qui présente un défi et suscite la peur, comme l'escalade ou le deltaplane, ou encore des activités stimulantes comme la course à pied, la bicyclette ou la danse.

Il existe un autre excellent moyen de brasser votre réservoir d'émotions édulcorées. Lors d'émissions de radio que nous animions, les gens qui téléphonaient « intellectualisaient » souvent leurs propos au point où tout le monde se mettait à bailler ! Pour les sortir un tant soi peu de leur dépression sous-jacente due à tant d'éloignement et à un tel détachement, nous leur demandions de sortir d'euxmêmes pour aller aider quelqu'un d'autre.

Si vous allez dans un refuge pour sans-abri pour servir à manger ou si vous promenez le chien d'une personne confinée à la maison, si vous chantez des cantiques de Noël dans une résidence pour personnes atteintes d'Alzheimer ou apportez des jouets aux enfants hospitalisés, une partie de vous-même se réveillera forcément. Et l'Intellectualisation ne signifie rien pour quelqu'un atteint de démence, un animal ou un jeune enfant… alors, vous ne vous en tirerez pas si facilement ! Trouvez un endroit qui vous convient et engagez-vous.

Au rayon du cœur

Les jeunes enfants perçoivent les événements violents en termes affectifs, tandis que les plus grands les voient de façon plus intellectuelle. C'est ce qu'ont constaté des chercheurs de l'Université d'État de l'Ohio qui ont interrogé des élèves du secondaire trois semaines après la fusillade au Colombine High School en 1999, alors que l'OTAN bombardait la Serbie. Les plus jeunes semblaient plus personnellement affectés par la violence et mettaient un visage humain sur les événements en utilisant des mots comme *haine*, *colère* et *peur*. Ils semblaient par ailleurs aussi touchés par les émotions des agresseurs que par celles des victimes.

Les plus âgés, en revanche, faisaient un compte rendu plus analytique. Ils différenciaient les motifs des bombardements de l'OTAN de ceux de la fusillade de Colombine et faisaient la distinction entre les causes des deux incidents. Ils semblaient assez détachés des événements.

Les chercheurs en ont conclu que les enfants plus âgés — et par extension les adultes — sont, sur le plan affectif, moins préoccupés que les plus jeunes de la violence autour d'eux et que lorsque nous intellectualisons la violence, nous ne sommes pas toujours attentifs aux conséquences humaines.

Vous comprenez mieux maintenant que cette armure du cœur n'est pas facile à saisir. Si vous recourez la plupart du temps à votre intellect, il se peut que vous le teniez en si haute estime que vos émotions se manifestent rarement.

Notre patient Marcus était champion pour se couper de son monde affectif.

Un grand parleur

À 35 ans, Marcus comptait à son actif de nombreuses années pendant lesquelles il n'avait pas tellement prêté attention à la symphonie affective — joyeuse ou douloureuse — qui résonnait en lui. Faire taire son cœur, étouffer les émotions qui formaient les notes dans son cahier de musique était son *modus operandi*. Très tôt, Marcus était devenu un pro dans l'utilisation de l'Intellectualisation pour se protéger des blessures et des déceptions. Il vivait ainsi et y faisait appel inconsciemment en cas de conflit ou de frustration.

Marcus était un grand type. Il avait toujours été le plus grand au primaire et toujours le plus grand et le plus fort au secondaire. Être populaire et intelligent était son objectif et il s'en prévalait parfaitement. Il avait été le meilleur quart-arrière de l'équipe de football de son école et arrivait en tête de liste des joueurs depuis son entrée à l'université. Même s'il était déterminé et que toute sa famille l'ait beaucoup encouragé dans ce sport, on lui avait enseigné à se servir de tous ses talents sans s'enfler la tête. Son père, grand lui aussi, souffrait de diabète et avait perdu la vue quelques années avant que Marcus n'obtienne une bourse d'athlète dans une importante université. Ses parents avaient rarement manqué un match à l'école secondaire et assistaient à la plupart des matchs à l'université.

Il s'est cependant avéré que Marcus n'obtenait pas autant de succès à l'université qu'il l'aurait espéré. Il ne se démarquait pas vraiment et, en troisième année, il a perdu sa bourse d'études. Il était mort de honte. Tout le monde l'avait toujours perçu comme un athlète. Sa famille l'a soutenu comme elle l'avait toujours fait et Marcus a surmonté sa blessure. C'était un bon étudiant et il possédait d'autres talents que le sport. Enfant, il avait vu son père rebondir après sa cécité. Marcus l'admirait d'avoir su poursuivre une vie productive malgré un traumatisme qui avait bouleversé son existence.

Râler sur les misères de la vie n'était pas le genre de la maison. La façon dont la famille a mis ses efforts en commun pour lui trouver une nouvelle voie a été admirable. Chacun y est allé de sa réflexion personnelle. On a recueilli des renseignements sur le genre d'emplois offerts dans leur ville et quel genre de travail pouvait convenir à Marcus. Personne n'a abordé le sujet de la fin de la carrière de footballeur de Marcus, et la vie a continué.

Treize ans plus tard, Marcus et sa femme, Tricia, se sont joints à notre groupe sur le deuil quand le père de celle-ci est mort subitement. Marcus était maintenant professeur de chimie au collège et le papa d'un bambin qui allait bientôt avoir un petit frère ou une petite sœur. Nous avons appris avec surprise que Marcus s'était détourné de l'exercice physique et des sports pour se concentrer sur « l'entraînement » de son cerveau. Il n'était plus seulement grand : il était gros et peu intéressé à changer quoi que ce soit. Il était devenu un lecteur vorace et pouvait rassembler une foule autour de lui — non pas pour le regarder jouer au ballon, mais plutôt pour l'écouter pontifier. Marcus ne s'est jamais affiché en monsieur-je-sais-tout, mais il semblait connaître son sujet dans les moindres détails et pouvoir en parler dans un jargon complexe devant les plus avertis. L'enseignement était un bon choix de carrière pour lui et il était heureux.

Mais le fait qu'il soit trop gros, obèse en réalité, inquiétait beaucoup sa femme de même que sa mère. Son père était mort jeune — à 61 ans — des complications du diabète, et Tricia craignait que Marcus ne meure prématurément, lui aussi. Il semblait qu'elle soit venue dans le groupe non seulement pour son bien à elle, mais également dans l'espoir qu'en côtoyant le deuil et la mort d'aussi près, Marcus serait touché et que cela l'inciterait à changer.

Au cours d'une séance du samedi matin, Tricia a parlé de la mort subite de son père et à quel point il était injuste qu'un homme en si bonne forme, même à 72 ans, parte si vite. Sa douleur a commencé à se tourner vers Marcus, et elle a élevé la voix en lui disant être inquiète de *sa* santé.

Quelqu'un dans le groupe a remarqué que Tricia semblait très en colère ce jour-là. D'un air penaud, elle l'a reconnu et s'est adoucie en prenant conscience de sa tristesse. Elle a dit à Marcus : « Toi tu as encore la possibilité de perdre du poids et de changer ton mode de vie ». Nous avons remarqué que plus Tricia prenait conscience de ses sentiments et implorait Marcus d'entendre son chagrin et ses craintes, plus il « faisait taire » son cœur.

Le corps de Marcus semblait s'enfoncer davantage dans le fauteuil et il donnait l'impression de battre en retraite. Nous avons observé qu'il commençait à s'exprimer de manière véhémente, mais ce qu'il débitait était théorique, dépourvu d'émotions. Il a pris une tangente en relatant des recherches effectuées sur les plus récentes pilules destinées à réduire les graisses et à quel point celles-ci pouvaient être dommageables pour la santé. Il a lancé des statistiques au sujet des gens qui suivent des régimes puis regagnent du poids, et a parlé des recherches qui indiquent que le régime yo-yo peut entraîner des effets très nocifs pour le cœur.

Le groupe était envoûté, et nous avons même été captivés par la leçon. Toutefois, chacun avait l'impression que Marcus évitait la réalité jusqu'à un certain point. Nous étions tristes, inquiets, fâchés et préoccupés. Où étaient donc *ses* émotions dans cette diatribe bien articulée ? Il n'était pas monté sur ses grands chevaux, et son intellectualisation ne visait pas à être cruelle ni dédaigneuse, même à l'égard de Tricia. Le problème, c'est qu'il ne saisissait pas la situation dans son ensemble. Il passait à côté de son réel besoin de soutien, ainsi que de celui de Tricia. Plutôt que de faire face à son sentiment de perte et aux craintes de sa femme face à son obésité, il préférait adopter une attitude qu'il connaissait bien. Il recourait à l'invalidation de toutes les émotions qui avaient été remuées, surtout relativement au sentiment de perte.

Tricia nous a demandé un entretien après la séance de groupe. La mort de son père l'attristait beaucoup et elle souhaitait tellement que Marcus lui offre son soutien moral. Elle se sentait très seule et était étonnée de sa propre intolérance à l'égard de son mari. Ce qu'elle avait accepté et parfois même admiré chez lui — son calme et sa neutralité — la dérangeait à présent, suscitait un sentiment d'isolement et lui donnait envie de le frapper.

Nous avons émis l'hypothèse que l'Intellectualisation était la «drogue» préférée de Marcus depuis de nombreuses années. Tricia nous a fait part des pertes que son mari avait subies : sa carrière de footballeur et sa bourse d'études, son père, et son corps sain et actif. Marcus a rajouté de l'information au sujet de ces situations pénibles et douloureuses. Mais même ce jour-là, tandis qu'il les rappelait, il était évident qu'il le faisait de façon cérébrale, sans la moindre émotion. Il nous apparaissait nettement que plus Marcus se sentait faible et impuissant, plus son esprit se raccrochait à un mécanisme destiné à le soutenir. Sa tactique consistait à s'en tenir aux faits, aux statistiques et à l'information et à fuir, inconscient des émotions qu'il traînait derrière lui.

Marcus, qui était foncièrement bon, était touché par les larmes de Tricia. Il voulait son bien, mais n'avait pas la moindre idée de ce qu'il fallait faire. Il a reconnu qu'il avait toujours affronté la vie de cette façon et il en était fier. Toutefois, son Intellectualisation l'éloignait désormais non seulement de lui-même, mais aussi de l'être qu'il aimait le plus.

Nous avons soutenu Marcus en l'informant que nous utilisons tous nos mécanismes de défense pour nous protéger des pénibles sentiments de désespoir. Sauf que tout en nous protégeant, ces armures nous empêchaient de rester connectés à ceux qui comptent le plus pour nous. Nous avons suggéré à Marcus de commencer à baisser son armure, tout en lui faisant remarquer qu'il n'était pas obligé de la retirer complètement. Nous lui avons dit cela parce que nous savons quelque chose au sujet de ceux qui « intellectualisent ».

Les personnes enracinées dans l'Intellectualisation y sont emprisonnées et sont détachées de leurs émotions, encore plus que celles ayant tendance à utiliser les autres mécanismes de défense. Ces gens font tellement bien taire leur cœur que leurs émotions sont complètement endormies. Pour réussir à les réveiller, il faut s'y prendre lentement et prudemment. Nous avons demandé à Marcus de faire l'exercice dont nous avons parlé précédemment, en lui disant qu'il pouvait en parler avec Tricia s'il le souhaitait, mais en précisant quand même qu'il s'agissait d'un exercice strictement personnel. Nous étions certains que de faire cet exercice, et de ne pas devoir renoncer à son armure avant d'être prêt, aurait un effet positif sur sa façon de réagir aux besoins de Tricia. En bout de ligne, nous savions que cela ne pourrait qu'enrichir Marcus.

> **Retirer l'*émotion* d'une expérience émotionnelle est l'essence même de ce mécanisme de défense. Vous raisonner pour ne pas ressentir une situation pénible et souvent inconfortable ou génératrice d'angoisse représente le moyen que votre inconscient utilise pour s'en protéger.**

Cacher vos émotions

L'Intellectualisation se manifeste de deux façons. Il y a celle que Marcus utilise et qui consiste à chercher les faits, les chiffres, l'information et les études qui permettent de se distancer d'une expérience affective. L'autre consiste à utiliser une terminologie ou un jargon complexe qui érige une barrière entre l'expérience réelle et les émotions qui y sont associées.

Voici quelques exemples du jargon que nous utilisons pour nous protéger et éviter l'anxiété liée à un sujet potentiellement « délicat » :

- *Mon fils a été victime des tirs de son propre camp.* (Mon fils a été tué par ses pairs.)

- *Mon grand-père a rendu son dernier soupir.* (Papy est mort.)

- *Sa grossesse n'était pas viable.* (Le fœtus est mort.)

- *On m'a laissé partir.* (On m'a congédié.)

- *Nous allons prendre une pause.* (Elle m'a quitté.)

- *Il a une belle personnalité.* (Je le trouve laid.)

- *Mon père ne parlait pas beaucoup.* (Mon père me battait.)

Nous utilisons tous ce charabia intellectuel à un moment ou l'autre. Essayez de dresser votre propre liste des phrases que vous avez tendance à utiliser ou que vous avez entendues et auxquelles vous vous identifiez. Il est très probable que ce ne sera pas facile et encore moins si vous êtes quelqu'un qui vit dans sa tête et en dehors de son cœur.

Si vous avez encore du mal avec ce concept, voyez si vous vous reconnaissez dans ce qui suit.

Vous utilisez probablement l'Intellectualisation si…

… vos amis ont tendance à soupirer quand vous commencez à parler.

… on vous qualifie de froid et de logique.

… les gens vous décrivent comme un Je-sais-tout.

… les autres viennent vous voir pour obtenir de l'information et des connaissances plutôt que de la sympathie et du réconfort.

… vous êtes celui qui reste pondéré quand tous les autres ont perdu le contrôle.

… vous êtes attiré par des professions comme enseignant, avocat ou chercheur, mais êtes rebuté par celles de nourrice, artiste ou thérapeute (!).

… vous préféreriez parler en public que d'avoir une conversation intime avec quelqu'un.

… vous n'êtes pas à l'aise dans les réunions de famille ou d'amis, quand tout le monde donne dans les sentiments.

La récompense

Nous sommes parfois capables de nous leurrer nous-mêmes en apportant des arguments intellectuels. Ces mots et ces explications peuvent sembler bons, mais si nous les suivons, nous nous éloignons de la réalité et des vrais sentiments.

Si vous prêtez davantage attention à vos émotions telles qu'elles sont, vous serez sur la voie d'une vie plus riche. Ne restez pas quelqu'un qui ne vit qu'à moitié. Mettez votre cœur et votre tête à l'œuvre. Lorsque vous ne vous limitez pas à utiliser le côté gauche de votre cerveau et cessez d'écarter ce que vous ressentez, vous vous ouvrez aux autres ainsi qu'à leur amour et leur soutien.

Chapitre 5

RIEZ VOLONTIERS, MAIS PLEUREZ AUSSI : MAÎTRISEZ L'*HUMOUR*

<u>Définition</u> :

Humour : Utiliser le rire ou la plaisanterie, en particulier le sarcasme et l'ironie, pour sortir de l'impasse ou pour atténuer des sentiments d'angoisse ou d'inconfort dans une situation donnée.

Eddie Murphy est connu pour avoir amassé 35 millions de dollars en rédigeant des scénarios et en tenant la vedette au cinéma. Il fait partie de nos humoristes favoris, avec Robin Williams, Will Ferrell, Steve Martin, Whoopi Goldberg, Chris Rock, Steve Carell et bien d'autres. La comédie fait résonner en nous des vérités familières. Nous pouvons nous identifier à ces acteurs et avoir l'impression qu'ils nous comprennent bien ; ils nous « rejoignent ». Nous sommes prêts à payer gros pour les traits d'humour, les farces... bref, tout pour nous faire rire.

Le rire favorise les liens. Se raconter des blagues, s'esclaffer en regardant un film drôle, ou échanger des sourires de connivence dans une foule sont parmi les choses les plus intimes que les humains puissent faire ensemble. Il y a beaucoup de vérité dans le vieux dicton qui dit que le rire est la plus courte distance entre deux personnes.

La plupart d'entre nous ne gagnerons jamais des sommes mirobolantes en étant drôles, mais il demeure que l'*Humour*, l'armure du cœur que nous allons maintenant aborder, peut enrichir notre vie de bien des façons. Demandez à n'importe quel célibataire quelles qualités il recherche chez un partenaire éventuel et vous constaterez que le « sens de l'humour » vient en tête de liste. Théoriquement, trouver quelqu'un possédant cet attribut ne devrait pas s'avérer difficile puisque tout le monde a un côté rieur, non ? Il serait réconfortant de penser que même de célèbres rabat-joie comme John Calvin et Attila le Hun trouvaient *de quoi* rire, puisque le rire est universel et le propre de l'homme. Vous pourriez jurer que votre chien rit quand il fait cette grimace bizarre ou qu'il remue la queue. Mais la vérité est qu'il est simplement content que vous vous occupiez de lui. Seuls les *humains* sont capables de rire. Faites le test : essayez de raconter à votre chien l'histoire du pékinois, du caniche et du rottweiler qui, se retrouvant dans un bar…

Alors, puisque le rire et l'Humour représentent des qualités humaines si omniprésentes et souhaitées, pourquoi en ferions-nous un mécanisme de défense ? Eh bien, ce n'est pas par hasard qu'une bonne partie de nos comiques favoris ont des antécédents familiaux difficiles ou des problèmes d'ordre psychologique. La comédie peut souvent servir d'armure et de mécanisme très complexe et très subtil pour préserver le cœur des sentiments d'inconfort, d'agitation et de souffrance. Sauf qu'il y a l'envers de la médaille. Si vous l'utilisez trop souvent, l'Humour vous empêchera de faire connaître vos véritables besoins et vos désirs réels. Plutôt que de vous aider à communiquer, il vous isolera.

Et voilà pourquoi l'Humour est le sujet de ce chapitre. Il peut se révéler un mécanisme de défense judicieux et souvent sain. Trouver matière à rire, faire rigoler les autres et vous amuser est loin d'être une mauvaise façon de traverser la vie. En fait, c'est une ambition judicieuse. Sauf que l'Humour s'accompagne parfois d'un prix caché, s'il masque des émotions plus profondes.

Il peut renvoyer un écran de fumée très acceptable et socialement gratifiant qui vous empêche cependant de voir et de ressentir les sentiments qui brûlent en vous. Lorsque cela se produit, vous courez le risque de ne pas vivre pleinement votre vie ni de tirer les précieuses leçons de vos relations et des événements qui y sont associés. L'Humour, ironiquement, peut alors se transformer en un chemin menant à l'engourdissement, à l'insatisfaction, à l'apathie et à la dépression.

Brad, un participant à l'un de nos séminaires, a souvent parcouru ce chemin.

Tu dois sans doute plaisanter

Il y a quelques années, Brad et sa fiancée, Beth, ont assisté à l'un de nos séminaires portant sur la façon de tirer le meilleur parti du mariage. Brad était grassement payé pour écrire des scénarios de comédies pour la télé, et il était la vedette de notre cours. Il était drôle, perspicace, intelligent et chaleureux ; même s'il nous faisait tous rire aux larmes, Beth restait son meilleur public. Tout au long des dix semaines de cours, ces deux-là semblaient très proches. Néanmoins, nous sentions une subtile tension entre eux. Et c'est sans surprise que, des mois plus tard, nous avons reçu un appel de Beth. Elle nous a dit que leur relation était en effet formidable — elle admirait et aimait profondément Brad —, mais parfois, quand elle était triste, contrariée ou frustrée, elle avait tendance à s'éloigner de lui, et il ne semblait pas s'apercevoir de cette distance. Elle sentait qu'il faisait la sourde oreille non seulement à ses besoins, mais aux siens également.

Quand nous les avons rencontrés de nouveau, Beth nous a dit qu'elle se sentait éloignée, isolée et seule depuis un certain temps. Nous avons remarqué que dès qu'elle était émue, en particulier quand elle était triste et avait les larmes aux yeux, Brad avait recours à sa vivacité d'esprit. Il espérait peut-être lui remonter le moral, mais ne semblait apparemment pas affecté par son état émotionnel.

Nous avons identifié que chez Brad, l'Humour représentait parfois une judicieuse diversion face aux sentiments en présence. Chaque fois que l'ambiance se gâtait un peu — quand une émotion surgissait que Beth ne pouvait pas contenir — Brad se sentait mal à l'aise. Ne sachant que faire, il avait recours à son abondante réserve de blagues pour s'en sortir. Assez rapidement, nous avons décelé ce qui se passait dans la tête de Brad et les raisons possibles qui l'amenaient si souvent à se tourner vers l'Humour.

Nous savons que l'essentiel de ce mécanisme de défense provient des relations dans l'enfance, et que l'Humour imprègne clairement notre style de personnalité tout au long de notre vie, puisque c'est une qualité tellement appréciée. Mais avant de faire d'autres observations, nous voulions que Beth et Brad le comprennent par eux-mêmes. Vous trouverez ci-après certaines des questions que nous leur avons demandé de se poser l'un à l'autre. Les réponses les ont aidés dans leur cheminement et éclairés sur ce qui les empêchait de se sentir plus proches et plus heureux.

Vous pourriez en faire autant avec votre meilleur ami. Si vous préférez procéder seul, prenez votre cahier et inscrivez vos réponses. Dans un cas comme dans l'autre, examinez ce qui en ressort.

Jeu de rôle

- Dans votre famille, teniez-vous le rôle du gros malin? Du blagueur? Du rigolo?

- Pourquoi croyez-vous que ce rôle était si nécessaire dans votre famille?

- Continuez-vous à jouer le même rôle maintenant?

- Quand y avez-vous recours dans votre vie actuelle?

- Pensez-vous que ce rôle améliore votre vie d'adulte?

- Pensez-vous qu'il vous empêche de développer des relations intimes et matures?

- Qui étaient vos modèles dans votre jeunesse?

- Qui sont-ils aujourd'hui?

- Est-ce que des amis et/ou des êtres chers vous font remarquer que votre «jeu de rôle» n'est pas drôle?

Après avoir fait l'exercice avec nous, dans notre bureau, il était parfaitement clair que Brad avait forgé son armure d'Humour très tôt. Quand il était petit et que ses parents se querellaient constamment, il avait appris à se sentir mieux et à apaiser les autres en faisant rire tout le monde. Cela atténuait la tension dans la maison et réduisait sa colère intérieure. Il se sentait plus en sécurité ainsi, et cela l'empêchait de penser à quel point il serait bouleversé et effrayé si ses parents divorçaient.

À présent, cependant, ce mécanisme de défense régissait le comportement de Brad. L'Humour était devenu une seconde nature. À partir des questions de l'exercice, il a pris conscience que dès qu'une tension ou des sentiments blessants surgissaient, même si ceux-ci n'avaient rien à voir avec ce qu'il avait vécu dans l'enfance, sa réaction naturelle consistait à reprendre son rôle de « roi de la comédie ». Sa vivacité était utile, mais en réalité, elle empirait parfois les choses.

Même si Beth est venue nous consulter parce qu'elle n'était plus en phase avec l'homme qu'elle aimait, c'est en fait Brad qui a découvert que son Humour bloquait son cœur. C'était lui qui n'arrivait pas à établir un lien profond avec sa fiancée parce qu'il était déconnecté *de lui-même* depuis trop longtemps. En s'en remettant trop souvent à l'Humour, ceci l'avait empêché d'approfondir sa relation avec la femme qu'il aimait. À cause de ce mécanisme de défense, les deux s'étaient isolés, incapables de pouvoir compter l'un sur l'autre comme ils le souhaitaient pourtant.

Au cours de l'année suivante, Brad a commencé à porter davantage attention aux moments où il se servait de l'Humour. Il a alors été capable de parler plus souvent à

Beth de ses préoccupations. Lorsqu'il a freiné sa propension à l'humour et confié ses inquiétudes à sa femme au sujet de son travail et de son rôle de père — et des soucis plus graves qui l'empêchaient de dormir — il a ressenti une sécurité et un réconfort qu'il n'avait jamais connus auparavant. Il semblait que plus Brad reconnaissait son humanité, plus il se sentait comblé. Désormais, il pouvait se servir de l'Humour avec discernement auprès de ses êtres chers... et, en prime, sa vie professionnelle s'en est trouvée enrichie également.

Récemment, la grand-mère préférée de Brad est décédée. Devant sa tombe, avec Beth et ses nièces, il a plaisanté au sujet du côté fougueux de sa grand-mère et de sa tendance à attraper ses petits-enfants dès que l'occasion se présentait. Tant mieux si l'Humour de Brad pouvait alléger l'atmosphère. Toutefois, quand il a regardé Beth, il a vu la tristesse sur son visage. À ce moment, grâce à tout le travail qu'il avait fait sur lui-même, il a pu cesser de plaisanter, inspirer profondément, la prendre dans ses bras et se brancher sur ses propres sentiments, c'est-à-dire le chagrin d'avoir perdu sa grand-mère. En un instant, il a réalisé comment son Humour avait banalisé la gravité de la situation, que cela l'éloignait en même temps de Beth et de son soutien, sans compter son amour pour elle. Brad a réussi à se ressaisir, à vivre l'instant présent, et à se sentir plus proche de tous ceux qu'il aimait. Il avait désormais un choix qu'il n'avait jamais eu auparavant : quand et en quelles circonstances se servir de son mécanisme de défense.

Afin de conserver ce choix bien présent à son esprit, Brad est rentré à la maison ce soir-là et a sorti son ordinateur de poche. Il a fait l'exercice suivant :

Consigner l'événement

Brad a tapé la date des funérailles de sa grand-mère et quelques mots décrivant ce qu'il avait ressenti. L'année suivante, à la date anniversaire, non seulement il se souviendrait de sa grand-mère, mais se rappellerait également l'importance de rester en contact avec un grand nombre de sentiments — la tristesse, la joie et la gratitude pour le soutien de Beth — qui l'avaient touché ce jour-là.

Apprendre de nouvelles aptitudes et façons d'être demande beaucoup de temps et de pratique. Nous glissons tous inexorablement dans de vieux schémas de comportement, de temps à autre. En consignant l'événement, il est à peu près sûr que vous vous en souviendrez et serez porté à faire des progrès — un bon moyen d'éviter la récidive.

Sur votre calendrier personnel ou votre ordinateur, inscrivez les dates importantes comme les funérailles d'un être cher, les anniversaires de naissance et de mariage, ou des moments personnels qui revêtent une signification particulière pour vous. Lorsque la date apparaîtra l'année suivante, vous pourrez, comme Brad, vous rappeler le souvenir et avoir un accès immédiat à un moment où vous avez relâché votre mécanisme de défense.

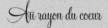

Au rayon du cœur

Vous avez certainement déjà entendu dire que le rire est le meilleur des remèdes, et il y a beaucoup de vérité là-dedans. Les scientifiques savent depuis quelque temps que de rire aux éclats est très bénéfique pour l'organisme. Le rythme cardiaque s'accélère, vous êtes forcé d'inspirer profondément, et vos muscles se détendent tellement que vous pouvez littéralement tomber par terre ou faire pipi dans votre culotte !

Des études plus récentes ont démontré que le rire fait baisser la tension artérielle chez les personnes souffrant d'hypertension, tout en dilatant et en irrigant les vaisseaux sanguins. De plus, il libère des endorphines qui rendent euphorique et renforcent le système immunitaire. Par conséquent, ne vous gênez surtout pas et rigolez ! Allez-y, riez un bon coup et vous vous sentirez bien ! Et si vous pouvez partager ce moment, c'est encore mieux. L'Humour bien utilisé est vraiment très sain.

L'Humour est un outil formidable pour s'adapter aux stress et aux contraintes de la vie. Bien qu'il s'agisse d'un mécanisme de défense, c'est souvent un choix sage et constructif. Sauf que, comme pour toutes les défenses du cœur, il peut parfois entraîner des résultats préjudiciables en nous éloignant de nous-même des êtres que nous aimons et de nos aspirations. C'est malheureusement ce qui est arrivé à Bobby.

Une leçon à découvrir

Bobby faisait partie des femmes les plus joyeuses et énergiques que l'on puisse espérer rencontrer. C'était une rousse en forme de 48 ans qui vivait seule depuis plus de dix ans. Sans enfant, elle était la tante que tout le monde aimait et l'amie toujours prête à venir vous soutenir. Quand il y avait des soirées, Bobby était la première arrivée et la dernière partie. Son esprit vif et sarcastique, de même que ses blagues, en faisaient souvent le centre d'attention.

À la fin de la vingtaine, Bobby avait obtenu un MBA d'une des meilleures facultés commerciales des États-Unis. Combiné à sa forte personnalité, son diplôme prestigieux avait fait progresser sa carrière beaucoup plus vite qu'elle ne l'imaginait au départ. Ses camarades de cours étaient restées ses meilleures amies et, en tant qu'anciennes étudiantes, elles étaient toutes des supporters de leur université. Elles organisaient souvent des collectes de fonds pour l'institution et aidaient même la direction en interviewant les candidats au MBA.

On avait demandé à Bobby de faire le discours d'ouverture pour le déjeuner annuel organisé à l'intention des professeurs et des étudiants. Elle était ravie et honorée. Peu après cette invitation, elle a reçu un appel confidentiel du président du conseil de la faculté. Il lui confiait qu'un membre du conseil était sur le point de prendre sa retraite et que si elle était disponible, elle représentait la candidate idéale pour occuper le poste. Bien sûr qu'elle était disponible !

Elle a commencé à discuter régulièrement avec une amie déjà membre, et elles se réjouissaient toutes les deux à la perspective de travailler ensemble. Elles étaient confiantes que le moment était bien choisi et que c'était dans la poche pour Bobby.

Or, les choses ont pris une tout autre tournure. Une semaine avant que Bobby ne fasse son allocution au déjeuner annuel, elle a reçu un appel pénible de son amie. Certains des membres du conseil n'étaient pas d'accord avec les opinions politiques que Bobby ne cachait pas. Comme ceux-ci détenaient la majorité, ils avaient refusé sa candidature.

Malgré la rebuffade et la douleur, Bobby a quand même préparé l'allocution qu'elle devait prononcer la semaine suivante et qui allait s'adresser aux mêmes personnes qui venaient de la rejeter. Mais elle n'allait pas leur servir le discours auquel ils s'attendaient. D'une nature indomptable, elle a fait appel à son omniprésente armure : l'Humour. Bobby a donc émaillé son discours de sarcasmes et de propos ironiques sans doute plus cinglants qu'*elle-même* n'en avait conscience.

Le but du déjeuner consistait à dire aux nouveaux diplômés du MBA que l'université espérait vivement qu'ils continueraient à soutenir l'institution, une fois leur carrière lancée. L'auditoire était par ailleurs largement composé de membres du conseil, anciens et nouveaux, qui avaient bien réussi. Bobby n'a pas tardé à faire rire la foule avec son style sardonique. Elle a mis le conseil en pièces, ne manquant pas au passage de lacérer chacun de ses membres. Elle a conclu en soulignant à quel point il était important de rester dévoués et actifs dans l'association des anciens étudiants, mais le tout sur un ton de dépit. Et en regardant le président du conseil dans les yeux, elle a déclaré dans un éclat de rire : « Regardez où ça m'a menée ! »

L'Humour de Bobby constituait habituellement une partie saine et attrayante de sa personnalité. Toutefois, son mécanisme de défense avait souvent été un moyen de la préserver de la déception et de la tristesse. Tout en protégeant son cœur, l'Humour représentait une vilaine façon de l'empêcher de réaliser ses véritables vœux. Dans ce cas, il a élargi encore davantage le fossé qui existait déjà entre elle et la communauté universitaire dont elle voulait pourtant faire partie.

Beaucoup de gens intelligents et drôles se servent de plaisanteries incisives pour masquer leurs vrais besoins et se protéger contre le sentiment d'être vulnérables.

Dans les mois qui ont suivi, Bobby a repris son rythme de vie effréné. Un jour, quelqu'un de l'association locale des anciens l'a appelée pour lui dire que son absence avait été remarquée aux deux dernières réunions. Bobby savait qu'elle avait évité d'y aller et se sentait soulagée que quelqu'un souhaite qu'elle revienne. Ceci lui a fait prendre conscience que récemment après le travail, elle rentrait directement chez elle, sans passer par le gym comme d'habitude, et ouvrait une bouteille de vin à la place. Une partie d'elle voulait se terrer, mais quelque chose de plus fort en elle savait qu'il y avait un problème. Un soir, en écoutant l'émission de radio *Marilyn Kagan*, Bobby a décidé de prendre rendez-vous pour une consultation à nos bureaux.

Très vite, lors de notre première conversation, nous avons remarqué que notre nouvelle patiente cachait sa blessure et sa souffrance derrière sa jugeote et sa vivacité d'esprit. Bobby nous a beaucoup fait rire. Nous lui avons demandé de réfléchir à ce que ses amis, ses êtres chers et ses collègues diraient de son rapport aux autres dans des situations de déception et de contrariété. Elle a répondu par un seul mot : l'Humour !

Nous lui avons gentiment fait remarquer comment, même en consultation, son Humour l'empêchait d'établir un contact réel avec nous et avec elle-même, au sujet de la douleur qu'elle avait ressentie lorsque le conseil avait refusé sa nomination. Elle a rapidement compris à quel point elle s'était sentie blessée. Penaude, elle s'est demandé tout haut si elle n'avait pas souvent agi ainsi — utiliser sa vivacité d'esprit et son sarcasme pour se sortir de situations épineuses.

Même si Bobby menait une vie trépidante, son mécanisme de défense l'avait souvent empêchée de se sentir comblée. Nous lui avons demandé de nous dire en quelles occasions elle avait voulu vraiment quelque chose, mais avait utilisé l'Humour pour nier la force de ces désirs. À travers ses larmes, Bobby a révélé que la place au conseil d'administration représentait quelque chose de très important pour elle. Faire activement partie du conseil était sa façon de combler son désir de laisser son empreinte et d'apporter une contribution personnelle à l'université qui l'avait tellement aidée à construire sa vie. Tandis que bon nombre de ses amies avaient une famille et des enfants, l'université était devenue son centre d'intérêt.

Bobby savait que son Humour l'avait menée loin. Elle était consciente que de gagner les gens par le rire était facile et offrait une gratification immédiate. À notre suggestion, elle s'est engagée à consacrer un certain temps tous les jours à consigner ses expériences et ses sentiments dans un journal dans le but d'identifier comment son Humour pouvait être un obstacle, et donc pas toujours salutaire. Elle a répondu aux questions suivantes :

- Que s'est-il passé ?

- Comment avez-vous utilisé votre Humour ?

- Savez-vous ce que vous ressentiez réellement ?

- L'Humour servait-il à camoufler de l'embarras, de l'envie, de la peur, de la colère ou de la déception ?

- Votre Humour était-il utilisé de façon sage et appropriée ?

Cet exercice a aidé Bobby à retracer comment et quand elle avait recours à son vieux mécanisme de défense.

Posez-vous les mêmes questions. Vous commencerez à discerner les moments où vous vous servez de l'Humour de façon positive et ceux, en revanche, qui vous empêchent de ressentir le bonheur véritable.

Partager cet éveil

Nous avons recommandé à Bobby de faire part de sa prise de conscience à une amie proche. Voilà un excellent moyen de vous responsabiliser dans l'usage de vos mécanismes de défense. En partageant votre prise de conscience, vous vous l'appropriez et obtenez le soutien et l'aide d'une amie de confiance qui vous permet d'en nourrir et d'en préserver le pouvoir.

Bobby a saisi l'importance de ce que le conseil d'administration représentait pour elle. En faire le deuil l'a empêchée de rester coincée dans son Humour négatif et de se barricader derrière. Elle avait désormais la place pour s'ouvrir à de nouvelles opportunités et elle est devenue directrice d'un programme de mentorat pour les enfants des quartiers défavorisés. De plus, elle est restée active dans l'association locale des anciens étudiants, ce qui l'a gardée en contact avec l'université. Bobby n'en est pas moins restée très drôle et surtout plus apte à comprendre son Humour. Simplement faire rire les gens — sans réserve — est devenu sa joie dès lors qu'elle ne se servait plus de l'Humour pour bloquer ses sentiments.

Vous devriez maintenant être capable de savoir si l'Humour est aussi votre mécanisme de défense. Mais si vous n'en êtes pas sûr, lisez ce qui suit :

Vous utilisez probablement l'Humour comme armure si...

... vous vous entendez souvent ajouter : « C'était juste une blague ! »

... vous êtes le boute-en-train de la soirée, mais vous n'êtes pas accompagné.

... le fait d'être le clown à l'école vous réussissait, donc vous faites de même aujourd'hui.

... vous faites souvent des plaisanteries peu élogieuses au sujet de votre corps, vos biens, votre famille ou de vos réalisations.

... vous faites souvent des remarques cinglantes, sarcastiques au sujet du corps, des biens, de la famille ou des réalisations des *autres*.

... vous avez tendance à accuser les gens de manquer d'humour.

… vous êtes presque certain que si vous ne riiez pas, vous pleureriez.

… les gens vont vers vous pour s'amuser, mais jamais s'ils ont un problème, besoin de réconfort ou pour s'épancher.

… *vous* n'avez pas d'épaule sur laquelle pleurer, parce que tout le monde pense que vous êtes toujours joyeux.

… des gens vous ont déjà dit que votre attitude désinvolte et sarcastique peut déplaire.

La récompense

Il vaut mieux ressentir la blessure, et même pleurer de temps en temps, que de masquer vos sentiments au point d'en oublier le sens. Rire vous guérit-il ou vous étouffe-t-il ? Pouvez-vous *ressentir* la différence ? Le rire, surtout accompagné de sarcasme et d'ironie, peut cacher l'angoisse ou l'inconfort d'une situation.

Rire un peu tous les jours, mais pleurer un peu *aussi*, c'est bon pour l'âme. Soyez à l'aise avec toute la gamme de vos émotions, et jetez un coup d'œil à votre baromètre de l'Humour. Êtes-vous dans le rouge ? Le gardez-vous au stade du sarcasme, de l'ironie, du dénigrement ou de l'hostilité ? Essayez de le ramener à un juste milieu. Très bientôt, vous développerez une plus grande sensibilité à l'égard de vos émotions et de celles de votre entourage, ce qui vous aidera à mieux vous situer quand vous masquerez les choses plutôt que de simplement vous amuser. Et lorsque cela se produira, vous ne tiendrez plus les gens à distance avec votre Humour.

Chapitre 6

DÉLESTEZ VOTRE VIE DE LA COLÈRE TRANS-FÉRÉE : ATTÉNUEZ LE *DÉPLACEMENT*

Définition :

Déplacement : Transférer sur quelqu'un ou quelque chose d'autre en apparence moins menaçant des sensations et des impulsions alarmantes, humiliantes ou désagréables, suscitées par une situation, un sujet ou une personne.

Heureusement que le chien est le meilleur ami de l'homme. En effet, si ce gros toutou poilu totalement dévoué, empestant et bavant, avait pu savoir d'avance ce qui allait se passer quand son maître rentrerait à la maison, Spot serait sorti sans tarder — et tant pis pour l'amour inconditionnel. Mais le chien est toujours le dernier à le savoir.

Spot se trouve à la fin d'une série d'événements qui ont commencé avec un patron tyrannique qui s'en est pris à son adjoint parce que les choses ne correspondaient pas exactement à ce qu'il souhaitait. Le subordonné a souri et encaissé l'humiliation... ou du moins, en apparence. Il a serré les dents pour s'empêcher de répondre sur le même ton.

Avec une sensation de colère brûlante dans les tripes, monsieur l'adjoint monte dans sa petite BMW. Après avoir roulé pendant 30 minutes — en nourrissant sa rage de musique hard rock à tue-tête et de propos controversés à la radio — il arrive à sa nouvelle maison de banlieue, haut de gamme, grevée d'une énorme hypothèque. Madame l'épouse de l'adjoint a hâte de dire à son mari comment s'est déroulée la journée, mais il n'a aucune patience à son égard. Il est encore contrarié par son entretien avec son patron, alors il reproche à sa femme de ne pas être allée chez le teinturier.

Résultat : elle le bat froid, le laisse se débrouiller tout seul pour se servir un verre de vin et se rend à sa chambre appeler une amie. En passant devant celle de leur fils de 15 ans, elle jette un coup d'œil au désordre qui y règne. Sans crier gare, elle se met à déblatérer sur les millions de fois qu'elle lui a demandé de ranger sa chambre, et le punit en lui interdisant d'aller à la soirée de son meilleur ami le lendemain. Elle lui tourne le dos en l'intimant de sortir Spot, sinon il dormira dehors *avec* le satané chien. Furieux, le fils attrape la laisse, tire le pauvre animal dehors, et va le promener rageusement autour du pâté de maisons.

Or, comme tous les « subordonnés », le chien, lui, ne veut qu'un peu de tendresse ! C'est un vrai stéréotype : le maître se fait passer un savon et c'est le chien qui en subit les conséquences. Les stéréotypes *deviennent* des stéréotypes justement parce qu'ils débutent généralement par une certaine forme de vérité. Et la vérité, c'est qu'à un moment ou l'autre, nous avons tous été pris au dépourvu.

Vous êtes-vous déjà trouvé dans une situation où vous avez été révolté par l'attitude de quelqu'un, enragé et humilié par sa façon de vous traiter ? L'image consciente que vous cherchiez à projeter a été compromise, dénigrée. Pris dans

ce genre de situation, vous ferez peut-être appel au mécanisme de défense du cœur destiné à vous aider à préserver
votre identité : le *Déplacement*.

La colère, la méchanceté et la souffrance — des sentiments trop dangereux pour y réagir et trop effrayants à
comprendre sur le coup — doivent être reléguées ailleurs
afin de protéger votre «fragile» ego. Vous cherchez refuge
contre des situations qui vous inspirent des sentiments
négatifs, en attaquant quelque chose ou quelqu'un que vous
percevez comme moins intimidant. Au moment de votre
embarras, de votre rage ou de votre inconfort, vous avez
connaissance que quelque chose vous arrive que vous
n'avez pas vu venir : vous avez conscience de voir rouge.

Vos émotions, confuses et embrouillées, doivent être
canalisées sur quelque chose de moins menaçant. Quelle
que soit la manière dont vous vous déchargez de ces émotions «trop fortes», vous n'en retirez pas de satisfaction ni
n'avez le sentiment que tout est rentré dans l'ordre. Et par-
dessus le marché, vous devez ensuite faire face au boulever-
sement supplémentaire que vous avez créé en transférant
ces émotions désagréables sur ceux qui se trouvaient sur
votre chemin. Vous vous sentez coupable, vous avez la
nausée, des remords, vous vous sentez embarrassé et encore
plus médiocre qu'au départ. Et le pire, c'est que votre
colère initiale n'a pas disparu.

Au rayon du cœur

Le Déplacement peut souvent prendre la forme de la tyrannie. Car après tout, que sont les tyrans sinon ces gens qui dirigent leur propre colère et leur frustration sur la cible la plus accessible ? Bien que nous ayons tendance à associer ce comportement aux élèves du primaire, un sondage récent a révélé que 37 pour cent des travailleurs américains — environ 54 millions de personnes — ont subi de l'intimidation sur leur lieu de travail. Des chercheurs de l'université du Minnesota ont démontré que les gens les plus susceptibles d'user d'intimidation au travail sont ceux qui se sentent eux-mêmes tyrannisés, et cela peut rapidement mener à une atmosphère toxique dans laquelle la tyrannie continue d'exercer ses droits.

C'est là un bon modèle pour illustrer comment *votre* colère transférée peut aussi s'infiltrer dans votre famille et votre vie sociale.

La colère transférée

Voici un exemple de la façon dont le Déplacement peut non seulement vous laisser insatisfait, mais également créer des dégâts supplémentaires.

Dans la même journée, Grace s'est sentie mise de côté et écartée par sa meilleure amie, Holly, et elle s'est fâchée contre sa sœur la plus proche, Anne.

Depuis un mois, Grace avait participé à l'organisation de la soirée célébrant le départ en vacances de Holly. Quelques jours avant la fête, elle a téléphoné à son amie pour lui demander s'il valait mieux qu'elle porte sa robe cocktail noire ou celle couleur argent. Avec une maladresse évidente, Holly a répondu qu'elle présumait que Grace savait qu'il s'agissait d'une soirée privée, réservée à ses collègues de travail.

Ouille! Grace était renversée et blessée de ne pas être invitée, après tout le travail qu'elle avait fait. Bouillonnante de rage, elle a néanmoins répondu que ce n'était pas grave et qu'elle comprenait, avant de raccrocher rapidement. Le téléphone a sonné aussitôt après.

C'était sa sœur Anne. Avant même que Grace ne puisse placer un mot, Anne avait pris les devants pour se plaindre de devoir assister au party de Noël de ses beaux-parents chaque année, alors qu'elle souhaitait plutôt rester chez elle. Grace, dont la colère ne s'était pas encore calmée, s'en est prise à la pauvre Anne qui ne savait rien de ce qui venait de se passer. Trahie par sa meilleure amie, elle a alors attaqué sa sœur. Avec un manque de «grâce» éloquent, Grace a explosé et lui a crié qu'elle se fichait d'elle et de ses beaux-parents stupides, qu'elle se fichait royalement de cette soirée à laquelle sa sœur détestait aller de toute façon, et qu'elle avait bien de la chance que quelqu'un l'aime. Inutile de dire que Grace ne s'est pas attiré l'affection de celle qui aurait pourtant pu écouter et accueillir la peine de sa sœur!

Chacun utilise le jeu du Déplacement de temps à autre. Parfois, nous ne parvenons pas à réagir assez rapidement en nous adressant directement à la personne qui nous a blessé, et quelqu'un de moins redoutable se présente qui se transforme en souffre-douleur : nous devenons hargneux. Grace n'était pas une personne qui avait recours à ce genre d'explosion très souvent, mais quand ça lui arrivait, cela la laissait dans un état second pendant un certain temps, froide et dégoûtée. Non seulement il fallait qu'elle se ressaisisse concernant la situation avec Holly et lui exprime ce qu'elle ressentait, mais elle devait maintenant, en plus, réparer son attitude méchante envers sa sœur à cause de son Déplacement.

Comme le mot l'indique, le Déplacement signifie déplacer quelque chose (dans ce cas-ci, des émotions et des actes) et le mettre ailleurs, le *transférer*. L'utilisation de cette armure du cœur est très claire : vous vous sentez contraint de réorienter vos émotions et vos comportements ailleurs. Vous croyez alors à tort que cet ailleurs répondra mieux à vos besoins en étant moins rempli de risques et de désespoir !

Vous croyez vous mettre en danger si vous affrontez directement cette abrutie de 1 m 80, au visage boutonneux et hargneux (même si en réalité, elle mesure 1 m 60 et que sa peau est lisse comme celle d'une pêche !) Vous vous percevez en position de faiblesse et vous déplacez, vous transférez... vous sortez de là. Mais la colère ne vous lâche pas pour autant, et quelqu'un d'autre devient le déversoir de votre angoisse — quelqu'un qui se trouve là au moment inopportun ou qui, croyez-vous, prendra partie en votre faveur quoi qu'il arrive.

Dans le cas de Grace, sa sœur Anne avait servi de bouc émissaire dans les deux cas. Avec un patron, une bonne amie ou un amant, les risques sont plus grands, parce que dans votre esprit, ces liens vous apparaissent plus fragiles. Ces gens qui comptent pour vous ont beaucoup de pouvoir et comme ils sont si importants à vos yeux, vous ne pouvez pas mettre le lien en péril. Craignant que vos sentiments ne soient mis en danger, vous fuyez. Ces relations personnelles avivent un sentiment de dépendance — un besoin et de la vulnérabilité — et cela peut être très déconcertant. Compter sur les autres comme moyen de subsistance ou pour votre sécurité peut vous précipiter dans une situation précaire.

Le fait est qu'il n'est pas nécessaire que la dépendance envers quelqu'un vous enferme dans un sentiment d'impuissance et de faiblesse. Créer une *dépendance* des autres est en fait parfaitement sain et humain. C'est le seul moyen de s'assurer une vie intéressante et satisfaisante. Avoir besoin les uns des autres et se soutenir pour traverser les conflits est la seule façon d'atteindre la forme d'union la plus saine de toutes : l'*interdépendance* avec les autres.

Grace devait reparler à Holly et lui exprimer sa façon de penser. Elle pouvait dire à son amie qu'elle ne comprenait pas. Elle croyait qu'elle était invitée à la soirée et était blessée par ailleurs que Holly ait profité de son aide sans lui avoir précisé clairement qu'il s'agissait d'une fête privée. Ce n'est qu'en lui faisant part de ses sentiments que leur relation d'amitié pouvait s'enrichir et se raffermir.

Vivre sans prêter attention

Revenons à monsieur l'adjoint. Les choses se seraient passées différemment pour le pauvre chien si madame avait mieux maîtrisé ses émotions. Imaginez ce que son mari a pu ressentir quand son patron s'en est pris à lui. Fort probablement honteux, embarrassé, fâché... et même effrayé à l'idée de perdre son emploi — et par ricochet, son revenu, sa BMW, sa maison et éventuellement sa famille. Ce sont des craintes légitimes. Qui ne les éprouverait pas ? C'est ce qui est *fait* avec ces émotions qui détermine le cours de ce mécanisme de défense. Monsieur ne s'était jamais permis de prêter suffisamment attention à ces sentiments — s'y cramponnant et tolérant leur inconfort — avant de les transférer sur des êtres innocents.

Nous savons que les gens comme lui — c'est-à-dire ceux qui vivent sans prêter attention — sont ceux qui ont tendance à souffrir le plus.

Leur vie à la maison aussi bien qu'au travail s'érode avec le temps lorsqu'ils utilisent couramment le Déplacement plutôt que de rester proches de leurs émotions de manière à en tirer des leçons. Les «subordonnés» du monde se retrouvent avec un sentiment de vide et l'incapacité d'aller au-delà de leurs insécurités. Il se peut que personne ne reste près d'eux pour les aimer, s'en occuper et combler leurs besoins émotionnels. Même si le chien et l'épouse restent et continuent à endurer les attaques constantes et injustifiées, le lien est bien mince... et un jour ou l'autre, il ne restera même plus d'amour à perdre.

Comment prêter attention à votre vie

Maintenant vous savez que le Déplacement sert surtout quand vous vous sentez intimidé et menacé, ou lorsqu'il y a une possibilité de perdre la face ou de mettre en danger votre emploi, de l'argent ou des relations personnelles. Il est impératif de fouiller en profondeur pour analyser vos réactions. Posez-vous les questions suivantes.

1. Que ressentez-vous habituellement quand vous perdez pied ou êtes confronté à quelqu'un qui s'adresse durement à vous ? Identifiez lesquelles des émotions suivantes s'appliquent à vous, ou reportez-vous au chapitre 2 et regardez de nouveau le tableau des caricatures pour trouver d'autres émotions.

- Énervé
- Plein de ressentiment
- Embarrassé
- Triste
- Critiqué
- Contrôlé

2. Lorsque ces émotions surgissent, que faites-vous ?

- Vous vous assoyez en silence
- Vous vous levez et partez
- Vous allez chercher quelque chose à manger ou à boire
- Vous ignorez l'autre personne
- Vous lui répondez sur le même ton
- Vous trouvez quelqu'un d'autre à qui parler
- Vous vous en prenez à quelqu'un d'autre (Déplacement)

3. Quelles sont les sensations physiques que vous éprouvez lorsque ces émotions se présentent ?

- Serrement dans la poitrine
- Nausée
- Gorge nouée
- Afflux de sang au visage
- Accélération du rythme cardiaque
- Sifflements dans les oreilles
- Douleur lancinante à la tête

**Plus vous comprendrez ce qui vous a conduit
à utiliser le Déplacement dans une situation donnée,**

**plus il deviendra naturel de faire face avec intégrité
et maturité aux émotions qui se présentent.**

Gifler Sam plutôt que de s'en prendre à Rick

Il y a quelques années, Chloé, 22 ans, a téléphoné
aux producteurs du *Marilyn Kagan Show*. Elle avait vu une
publicité à la télé où l'on demandait aux jeunes femmes
souhaitant obtenir un diplôme supérieur après quatre ans
d'université d'appeler. Le programme consistait à examiner
la vie de celles qui avaient consciemment choisi de poursuivre une carrière et de remettre la maternité à plus tard.

Même si Chloé n'avait pas été retenue pour participer à
l'émission, elle nous avait tous impressionnés. Voici une
jeune femme formidable, belle et intelligente, qui s'était sur-
passée. Elle avait étudié dans une université prestigieuse
sans aucune aide financière de ses parents âgés, tout en rele-
vant le défi permanent de contrôler son diabète de type 1.
Elle s'apprêtait à poser sa candidature dans plusieurs grandes
facultés de médecine et était certaine d'être admise. Aux
prises avec autant de problèmes, Chloé a senti le besoin de
venir nous consulter. Ce fut un plaisir de la recevoir. Il
s'agissait sans aucun doute d'une jeune femme très déter-
minée, mais nous avons cependant décelé quelqu'un qui
avait du mal à révéler ses besoins à ses proches.

Au bout de trois mois à aider Chloé dans les tribulations
de sa jeune vie, nous avons appris qu'elle allait emménager
avec Sam, son petit ami depuis six mois. Il était évident que
le couple se rapprochait. Chloé n'avait jamais éprouvé de
tels sentiments pour un homme auparavant. Elle se sentait
si bien avec lui qu'elle le décrivait comme faisant partie de
la famille.

L'engagement de Chloé était de plus en plus fort. Toutefois, l'homme qui avait eu le plus d'influence dans sa vie au cours des deux dernières années restait son professeur de biochimie, le docteur Rick. Chloé admirait son esprit, c'est-à-dire son aptitude à faire la synthèse d'une montagne de documents et d'arriver à un résultat. Il supervisait son projet de recherche avancée, qui allait l'aider à être admise à la faculté de médecine et serait publié dans des revues médicales sous leurs deux noms. Non seulement celui-ci était devenu le mentor académique de Chloé, mais depuis quelques années, lui et sa femme représentaient pour elle des figures parentales. Le Dr Rick pouvait être chaleureux, charmant et serviable, mais comme sa femme le disait souvent, il pouvait aussi se montrer extrêmement grincheux et parfois soupe au lait.

Au cours des derniers mois, Chloé avait négligé un peu sa part du projet de recherche. Le Dr Rick lui avait exprimé sa surprise d'avoir dû lui demander de rendre son travail. Et franchement, cela ne lui ressemblait *vraiment* pas. Ce que Chloé n'avait pas dit, pas plus à Rick qu'à Sam, c'est qu'elle ne se sentait pas bien. Sa glycémie était déréglée et elle n'avait pas vérifié son insuline depuis quelque temps. Le fait de s'installer dans son « nid » avec Sam, tout en essayant que tout soit parfait, stressait Chloé qui ne semblait pas pouvoir garder son rythme intense habituel. Parce qu'elle ne voulait pas accabler ceux qu'elle aimait — craignant qu'ils ne *la* perçoivent comme un fardeau — elle prenait de plus en plus de retard et n'arrivait pas à rattraper le temps perdu.

Un jour, après avoir manqué une expérience importante au labo, Chloé est arrivée 30 minutes en retard à son rendez-vous avec son mentor. Le Dr Rick s'est fâché : voilà des semaines qu'il lui demandait si quelque chose n'allait pas, mais Chloé avait toujours nié. Frustré et inquiet pour son avenir, il lui a fait remarquer assez brusquement que si elle ne rattrapait pas le rythme et ne se reprenait pas en main, non seulement leur article ne serait pas publié, mais ses espoirs d'entrer en médecine seraient en péril.

Chloé a refoulé ses larmes et assuré le docteur Rick que tout rentrerait dans l'ordre. Sans avoir parlé de son état de santé, elle est partie rapidement et s'est dirigée vers l'association des étudiants où elle a aperçu Sam discuter avec une jolie fille qu'elle n'avait jamais vue. Furieuse, Chloé lui a attrapé le bras et l'a entraîné à l'écart. Sam, embarrassé et embêté, lui a demandé : « Mais qu'est-ce qui te prend ? »

Chloé l'a accusé de coucher avec la fille et a menacé de le quitter. Stupéfait, Sam l'a assurée qu'il n'y avait rien eux, mais il était outré qu'elle puisse le penser.

Dans les jours qui ont suivi, il y avait de la tension dans le couple. En thérapie, Chloé nous a dit à quel point elle se sentait humiliée de ce qu'elle avait fait et qu'elle ne pouvait pas croire avoir été capable d'un comportement aussi puéril. Elle a même ajouté qu'il vaudrait mieux pour Sam de ne plus la voir. De plus, elle pensait que le docteur Rick, même s'il était un peu brutal parfois, aurait plus de chances de réussite avec quelqu'un d'autre.

Nous avions maintenant notre propre projet de recherche à mettre au point ! Notre travail des mois suivants se ferait en deux volets : (1) aider Chloé à découvrir comment son passé influençait son présent et (2) lui donner plus d'assurance face aux attaques du Dr Rick quand elle ne répondait pas à ses attentes.

Fille unique de parents âgés, elle avait développé le sentiment qu'elle devait s'occuper d'eux et se débrouiller toute seule. De plus, son diabète l'avait amenée à croire qu'elle représenterait un fardeau pour eux. Alors, elle est devenue la petite fille — puis la jeune femme — qui ne se plaignait jamais, ne demandait jamais d'aide et envisageait toujours seule ses choix médicaux et sociaux. Ses parents, des gens chaleureux et aimants, disaient souvent à quel point elle était indépendante et autonome. Ils s'émerveillaient qu'elle ne demande jamais rien et qu'elle ne soit jamais en conflit avec qui que ce soit.

En thérapie, nous avons continué à aider Chloé à mieux se comprendre et à s'accepter davantage, ainsi qu'à percevoir les sentiments de dépendance qu'elle ne s'avouait pas. Cependant, nous savions qu'il y avait urgence à régler les répercussions de son mécanisme de défense, le Déplacement. Sam avait été la cible involontaire de son conflit avec Rick, et faire amende honorable était d'une importance cruciale. Il était par ailleurs impératif qu'elle informe son petit ami ainsi que le Dr Rick de ce qui se passait vraiment, physiquement et émotionnellement. Non seulement elle devait faire face à ce qu'elle était et ce qu'elle devait gérer, mais il était également capital qu'elle ne fuie pas le Dr Rick ni le travail qu'ils avaient entrepris ensemble.

Chloé a reconnu qu'elle avait caché ses préoccupations et pouvait comprendre pourquoi le D^r était frustré. Toutefois, elle savait également que son ton et sa manière tranchante ne l'avaient pas encouragée à s'exprimer davantage et qu'il lui fallait se défendre contre lui. Si elle n'y parvenait pas, elle avait conscience que le projet de recherche était voué à l'échec : elle continuerait à le fuir. Comme l'enjeu était important et qu'elle tenait au Dr Rick à la fois sur les plans personnel et professionnel, Chloé n'était pas préparée à se contenter d'improviser la prochaine fois qu'elle serait confrontée à son tempérament corrosif. Elle avait besoin d'un scénario — les bons mots — et nous l'avons donc aidée à en construire un qu'elle puisse répéter afin d'être prête la prochaine fois qu'elle serait prise au dépourvu par le Dr Rick.

Répéter, répéter, répéter

Il est difficile de comprendre vos émotions sur le coup. Nous savons que si vous connaissez d'avance les mots à utiliser — votre scénario — vous risquez moins de vous servir du Déplacement. Faire face au conflit et à l'inconfort, accepter le droit de vous défendre face à ceux qui vous menacent le plus est un combat long et difficile pour n'importe qui. Mais si vous maîtrisez quelques outils, vous serez moins enclin à contre-attaquer ou à vous en prendre à une victime innocente. Voici un programme en cinq étapes pour vous créer votre propre scénario.

Étape 1

Rappelez-vous la dernière fois que vous avez été pris au dépourvu.

- Avez-vous eu envie de vous enfuir ? De crier en retour ? De pleurer ?
- Avez-vous souri poliment et vous êtes éloigné furtivement ?
- Avez-vous figé sur place sans rien faire ?
- Combien de temps s'est-il écoulé ensuite avant que vous ne vous en preniez à quelqu'un d'autre ?

Étape 2

Gardez le scénario en tête, mais cette fois, visualisez-vous les pieds bien ancrés au sol. Prenez trois respirations lentes et profondes et étirez les doigts pour relâcher la tension.

Étape 3

En recréant votre scénario, il est crucial que vous réfréniez les mots et les sentiments qu'il suscite. Mettez-y un frein en déclarant quelque chose comme : « S'il te plaît, arrête » ou « Attends un instant ».

Étape 4

Ensuite, il est essentiel de formuler vos émotions. Dites :

- « Je me sens (triste, en colère, réprimandé, contrarié, blessé) quand tu... »

- « Je me renferme quand tu... »

- « Je ne peux pas t'entendre quand tu... »

- « J'ai peur quand tu... »

Étape 5

Si la personne avec laquelle vous êtes en conflit ne lâche pas prise, vous réprimande, ou devient plus agitée, quittez la scène en déclarant :

- « Je suis mal à l'aise. »
- « Je quitte maintenant. »
- « Je te parlerai plus tard. »

Il va de soi que vous ne pouvez pas toujours savoir quand vous serez confronté à une situation qui déclenchera le Déplacement, et il est impossible de se préparer à ces moments inattendus. Mais prêtez attention aux aspects de votre vie ayant tendance à vous inquiéter et à vous effrayer le plus, que ce soit votre emploi, votre relation amoureuse ou votre famille. Concentrez-vous sur la façon d'améliorer la situation durant une répétition et vous serez capable de soustraire la colère transférée de votre monde *réel*.

Le Déplacement n'est toujours pas clair pour vous ? Répondez à notre questionnaire. Faites-le avec franchise plutôt que de répondre ce que vous « devriez » répondre.

Disons que...

1. Votre femme part une dispute juste au moment où vous alliez quitter la maison pour vous rendre au travail, ce qui risque de vous mettre en retard. Comment réagissez-vous ?

a. Vous lui dites que vous comprenez qu'elle soit fâchée et que vous reviendrez plus tôt afin d'en parler avec elle.

b. Vous partez rapidement, un nœud à l'estomac, conduisez trop vite, klaxonnez contre un autre chauffeur et vous le doublez au feu vert.

2. Une invitée, en séjour chez vous, brise la machine à laver puis s'en va sans proposer de payer pour la réparer. Comment réagissez-vous?

    a. Vous appelez cette amie après avoir obtenu une évaluation du coût de la réparation et lui proposez de payer moitié-moitié.

    b. Vous fulminez contre le technicien à cause du prix des réparations.

3. Votre fils rate la balle et son équipe perd la partie. Comment réagissez-vous?

    a. Vous le prenez à part et lui dites qu'on ne peut pas toujours gagner et qu'il a fait de son mieux.

    b. Vous criez contre l'arbitre que vous traitez d'idiot.

4. Votre patron insiste pour que vous poursuiviez votre travail plutôt que d'aller déjeuner et vous savez que vous rentrerez chez vous affamé et avec un mal de tête. Comment réagissez-vous?

    a. Vous dites à votre patron que vous ferez le travail avec plaisir et suggérez de commander le déjeuner pour tout le monde.

    b. Vous ne dites rien et, ce soir-là, vous obligez votre enfant en larmes à rester à table jusqu'à ce qu'il ait fini son assiette.

5. Votre coiffeuse vous a coupé les cheveux beaucoup trop courts, malgré vos recommandations explicites. Comment réagissez-vous?

a. Vous lui dites que vous êtes vraiment mécontente du résultat et aimeriez un rabais.

b. Vous rejoignez votre sœur au restaurant et la réprimandez d'avoir acheté ce jean griffé beaucoup trop cher et qui, en plus, lui grossit terriblement les fesses!

Si vous avez répondu par b) plus souvent que par a)... eh bien, comme vous vous en doutez, le Déplacement est votre armure de prédilection. Il est grand temps de vous exprimer plus franchement et de cesser de transférer votre colère sur les autres.

La récompense

Quand nous évitons un échange que nous percevons comme menaçant, nous sommes susceptibles de le recréer ailleurs, simplement pour *faire* quelque chose de ces émotions refoulées. Tandis que si nous sommes suffisamment courageux pour faire face à la véritable source de notre inconfort, nous pouvons régler le problème et poursuivre notre vie plus sereinement.

Imaginez à quel point votre vie sera plus agréable lorsqu'on ne vous percevra plus comme quelqu'un qui a le don de provoquer de l'inconfort, du chagrin et de la peur à cause de paroles dures et de comportements cruels. La famille, les amis et les collègues n'éviteront plus les contacts avec vous ou ne vous éviteront plus tout court.

Mieux encore, imaginez à quel point vous serez plus sûr de vous si vous arrivez à exprimer vos sentiments sans ambiguïté, à dire non quand vous n'êtes pas à l'aise ou vous sentez bousculé, à savoir vous défendre sans céder, et à quitter des situations intolérables la tête haute. Vous serez alors capable de vous tourner vers les autres pour demander du soutien et du réconfort, plutôt que de les utiliser comme boucs émissaires de votre colère.

Chapitre 7

REGARDEZ LE PORTRAIT GLOBAL : SUSPENDEZ LA *SUBLIMATION*

<u>Définition :</u>

Sublimation : Canaliser des pensées ou des émotions intolérables à vos yeux, ou à ceux de la société en général, vers des comportements socialement valorisés.

Le Krav Maga est un art martial israélien qui a fait son apparition aux États-Unis dans les années 1980. Depuis, ce style d'autodéfense a été adopté par ceux chargés de protéger et de servir la population, notamment les policiers et les agents du FBI et de la DEA. La philosophie derrière le Krav Maga est née du besoin d'enseigner aux gens comment se battre dans les pires conditions, lorsqu'ils se sentent le plus défavorisés. Tout comme le Krav Maga, l'armure du cœur que nous allons maintenant aborder, la *Sublimation*, procure aux gens un sentiment de pouvoir — plutôt que de défaite — dans des situations intolérables.

Nous connaissons bien le Krav Maga, parce que nous avons des amis et de la famille qui l'enseignent. Bien que *nous* n'ayons pas personnellement fait l'expérience de l'effet de cet art martial sur le corps, nous connaissons des amateurs qui le pratiquent et qui l'enseignent. C'est également devenu un outil utile pour les vedettes de Hollywood qui y font appel quand elles doivent se mettre en forme ou faire elles-mêmes des cascades avec réalisme.

Un gars superbe et formidable parmi nos connaissances nous vient aussitôt à l'esprit lorsqu'on parle de Krav Maga, en relation avec la Sublimation.

Quand Byron se promenait dans la rue, les femmes, et parfois les hommes, pouvaient en attraper un torticolis. Il avait un corps parfait, 1 m 95, la peau couleur café au lait et un beau visage garni de fossettes. Il venait d'un des pires quartiers de Los Angeles, et on aurait dit que l'histoire de sa famille sortait d'un registre de la police. Son père avait quitté la maison quand Byron était âgé de quatre ans, obligeant la mère à cumuler deux emplois pour subvenir aux besoins des quatre enfants. Byron n'avait que 11 ans quand son frère James, 15 ans, a été tué dans une fusillade. Sa sœur Jackie, de deux ans son aînée, a été envoyée vivre chez une tante en Caroline du Nord. Son frère aîné, Samuel junior, faisait déjà partie, à 16 ans, d'un gang de rue. Il avait été incarcéré deux fois et rien ne semblait pouvoir l'arrêter. La maman de Byron était dépassée par les événements et terriblement inquiète pour ses enfants.

Byron a commencé à s'impliquer dans le Club local des jeunes et à pratiquer la lutte au collège. Plus il grandissait et devenait robuste, rester actif et fort devenait carrément une obsession. Grâce à son corps puissant et à son esprit de compétition, il a réussi à quitter une vie familiale et un quartier difficiles. Byron est entré à l'université, mais a décidé de ne pas faire de sport. Il s'est plutôt intéressé aux arts martiaux et a commencé à explorer toutes les formes d'autodéfense. En cours de route, il a gagné des tournois et donc beaucoup de respect. Mais ce n'est qu'en découvrant le Krav Maga qu'il a su ce qu'il voulait vraiment : se consacrer entièrement à cette technique d'autodéfense et l'enseigner. Pendant qu'il donnait des cours à l'académie de police, Byron a pris conscience de ce qu'il voulait faire plus tard : devenir policier !

Tout ce que Byron avait fait jusque-là avait servi à le sortir d'une situation dégradante afin de se créer une vie meilleure. D'un côté, il s'agissait d'un engagement à faire quelque chose d'unique. Nous croyons qu'au fond, la passion obsessive de Byron, ainsi que son élan vital étaient une façon pour lui de rediriger son immense souffrance et son intense chagrin sur un terrain plus sain et moins dangereux.

Nous ne pouvons que présumer qu'en dehors de sa tristesse incommensurable, Byron se sentait honteux et non préparé pour se confronter aux guerres réelles et imaginaires qui avaient cours autour de lui. Quelque part, au fond de lui-même, il a dû ressentir de la rage et vouloir se venger de ceux qui lui avaient fait du mal ainsi qu'à sa famille. Mais Byron était un bon garçon. Proche de sa mère, il était sensible au désespoir de celle-ci, ce qui l'avait conduit à faire des choix, certains dont il avait conscience et d'autres pas. Il avait découvert un moyen acceptable, à ses yeux et à ceux de la société, de dompter la bête qui rugissait à l'intérieur. La Sublimation était d'abord et avant tout une méthode positive de faire face à son agressivité et à ses énormes peurs destructrices. Il avait réorienté sa douleur et trouvé des moyens de s'en sortir. Finalement, il avait réussi à procurer du confort, de la sécurité et une vie constructive aux gens de son entourage.

L'inspiration que procure la Sublimation

Sans la Sublimation, nous passerions tous à côté des effets positifs quotidiens que procure ce mécanisme de défense.

Songez au plaisir que vous éprouvez à écouter de la musique : des symphonies apaisantes, des chansons romantiques ou même du heavy metal. Êtes-vous pressé de rentrer à la maison pour regarder les artistes ou les chefs préparer des mets succulents à la télé et vous réjouir à l'idée de cuisiner ou de goûter à un dessert inédit ? Sentez-vous parfois des émotions vous remuer en regardant une photo ou une toile, ou encore un film qui vous fait rire ou pleurer ?

Eh bien, vous pouvez parier que bon nombre de ces œuvres d'art, créatives et délicieuses, ont été créées à partir de la Sublimation. De Pablo Picasso à Andy Warhol jusqu'au jeune qui participe à un cours de sculpture au collège local, ou à l'enfant qui réalise une œuvre d'art en peignant avec les doigts... de Wolfgang Puck à Martha Stewart jusqu'à la jeune femme dans sa cuisine qui prépare du veau au parmesan pour la première fois... de Beethoven à Garth Brooks jusqu'au band de garage de Seattle ou aux jeunes dans l'orchestre de l'école... de Shakespeare à Arthur Miller jusqu'au scénariste débutant qui se relit et à l'ado qui écrit des articles pour le journal du collège — il est fort probable qu'ils se sont *tous* servi de la Sublimation.

Bien entendu, nous ne savons rien de ce qui se passe dans la vie intérieure de tous ces gens célèbres ou pas, puisque nous ne les connaissons pas personnellement. Ce dont nous sommes sûrs cependant, c'est que dès la tendre enfance, chacun d'entre nous abrite des émotions profondes et des conflits. Avec le temps, nous choisissons des voies qui calment ces luttes inconscientes. Certaines ont plus de succès et sont plus gratifiantes que d'autres. Bon nombre de théoriciens croient que cette armure du cœur — qui consiste à diriger ailleurs la détresse intérieure et les pulsions comme la sexualité, l'agressivité et les désirs que nous avons tous en nous — représente la base de l'inspiration et de l'esprit d'invention.

Partout où vous regardez, vous pouvez voir la preuve de ce qui arrive quand les êtres humains redirigent leurs désirs et leurs impulsions dans des actions satisfaisantes et louables. Sauf que pour tous les mécanismes de défense — y compris celui dont nous parlons et qui est beaucoup plus constructif et sage que les autres — il y a l'envers de la médaille. Son aspect négatif est qu'il peut vous empêcher de voir «l'ensemble de la situation» : *votre* portrait global. Chaque mécanisme de défense se met en place pour faire diversion à une forme de souffrance, de malaise et de conflit dont vous n'avez pas conscience, même quand le résultat est valable.

Heureusement que Bob — secrètement irrité parce que les buissons de son voisin laissent tomber des saloperies sur sa pelouse — fait partie d'un club de vélo, car il peut partir pédaler le week-end et évacuer sa furie, sinon ça se passerait très mal. Si ce n'était de son immense charge de travail, Tom prendrait conscience qu'il désire la nouvelle réceptionniste. Le club de vélo et les longues heures de travail sont des mesures utiles et efficaces pour ces messieurs. Leurs activités les aident à alléger leurs luttes inconscientes.

Même si Bob est conscient de sa colère contre son voisin, il ne connaît pas les rages meurtrières qui découlent du sentiment qu'on profite de lui. Tom sait qu'il est attiré par la réceptionniste, mais ne peut pas faire face à son désir. Les façons que ces deux-là utilisent pour sublimer servent à les protéger. Et c'est très bien. Mais aussi saine que soit la

Sublimation — personne ne voudrait que le voisin soit battu à mort ni que la secrétaire soit assaillie sur son bureau! — cette dernière empêche Bob et Tom d'éprouver véritablement ces sentiments déplaisants, inconfortables et socialement inacceptables.

Ce dont Bob ne se permet pas de prendre conscience, c'est la possibilité de confronter sa fureur par d'autres moyens. S'il pouvait résister à sa colère et tolérer l'inconfort qui l'accompagne, il pourrait apprendre à connaître son voisin, et peut-être même à l'apprécier. Tom abat une grosse somme de travail et la compagnie prospère parce que c'est là qu'il a concentré la force de ses pulsions. Pourquoi ne pas explorer ces désirs plus à fond, en reconnaître l'existence et arrêter de travailler 100 heures par semaine? Tom pourrait cesser de fuir ses pulsions et s'en servir pour ranimer son mariage vieux de dix ans : il travaille tellement que sa femme ne l'a pas vu depuis des mois!

Au rayon du coeur

Une étude récente effectuée par des chercheurs de l'Hôpital général du Massachusetts indique que beaucoup d'enfants jouent à des jeux vidéo violents afin de gérer leurs émotions, y compris la colère et le stress. Gardez cependant à l'esprit que même les formes socialement acceptables de Sublimation comme celles-là peuvent être malsaines psychologiquement. Par exemple, d'autres études ont démontré que l'exposition aux jeux vidéo violents peut rendre les gens insensibles à la violence dans la vie réelle. Et lorsque la violence comporte une certaine forme de gratification à l'écran, elle a tendance à augmenter l'hostilité ainsi que les pensées et les comportements agressifs chez les joueurs. Les actes violents répréhensibles dans les jeux augmentent également l'hostilité, mais affectent moins les pensées et les comportements agressifs. Par conséquent, assurez-vous que la méthode de Sublimation que vous avez choisie ne vous fait pas plus de mal que de bien!

Miss Perfection

Charlotte, 59 ans, était une courtière en immobilier très en vue que nous avions rencontrée quelques années auparavant. Elle avait entrepris sa lucrative carrière à la fin de la vingtaine, après avoir eu deux enfants, et était toujours allée de l'avant. Quand la Californie est devenue l'endroit où la plus minuscule maison était listée à plus d'un million de dollars, Charlotte supervisait déjà cinq agents et était réputée pour son équité et sa grande perspicacité en affaires.

Puis, après s'être démenée longtemps et avoir acquis une solide notoriété, voilà que le marché immobilier s'effondre. À sa propre surprise — et à celle de ses amis et de sa famille qui la connaissaient bien — Charlotte a craqué. Elle a cessé de s'alimenter correctement, dormait mal, ne répondait plus à ses messages téléphoniques, et avait du mal à se rendre au bureau. Son mari très inquiet l'a suppliée d'aller chercher de l'aide et c'est ainsi qu'elle a abouti dans notre bureau.

Nous avions entendu parler de Charlotte et connaissions beaucoup de gens qui avaient fait affaire avec elle. Bien que nous ne l'ayons pas revue depuis ce premier rendez-vous, nous avons été étonnés de la différence entre la femme dont la réputation la précédait et celle qui s'est présentée en consultation. Nous avions en face de nous une personne découragée, les cheveux défaits, et peu sûre d'elle. Nous étions surpris qu'elle n'ait pas su s'accrocher à tous ses succès passés et se sente mise en échec par ce creux temporaire du marché.

La question nous est immédiatement venue à l'esprit : *quel rôle son travail avait-il joué durant toutes ces années ?* Qu'est-ce qui avait été remué pour provoquer chez elle un tel sentiment d'échec ? Pourquoi n'était-elle pas capable de mettre les choses en perspective ? Après nous être assurés qu'elle fasse un bilan de santé et qu'elle retrouve de bonnes habitudes de sommeil et d'alimentation, nous avons fouillé son histoire.

Charlotte provenait d'une famille unie, qui lui était d'un grand soutien, et dont les membres connaissaient une belle réussite. Son père travaillait dans le domaine du meuble ; sa mère était une architecte renommée, et son frère avait suivi les traces de celle-ci en enseignant l'architecture et en écrivant des livres sur le sujet. Personne n'avait jamais fait sentir à Charlotte qu'elle était « moins bien » que les autres.

Ses parents et son frère étaient toujours les premiers à l'encourager et ils l'épaulaient dans tout ce qu'elle entreprenait. Les œuvres d'art de son frère étaient exposées dans toutes les galeries de la ville, mais toute la famille se trouvait aussi au premier rang pour applaudir Charlotte lorsqu'elle a entonné la chanson de Peggy Lee dans une production de *South Pacific* à l'école.

Tout ce que Charlotte touchait se transformait en or. Elle se donnait corps et âme. Étonnamment, elle avait choisi de se marier au début de la vingtaine et était devenue la meilleure épouse qui soit. Ses parents n'avaient pas été contrariés par sa décision, mais avaient tout de même pensé qu'elle était un peu jeune pour s'établir définitivement. Sa mère avait espéré que Charlotte trouve une voie professionnelle qui lui plaise, comme *elle-même* l'avait fait plusieurs années auparavant.

Au bout d'un certain temps en thérapie, Charlotte a fini par réaliser qu'elle avait choisi une façon saine et efficace de rediriger les émotions non explorées qui dormaient en elle depuis des décennies. Elle a été très surprise de découvrir les désirs et le ressentiment qu'elle avait gardés à l'intérieur depuis son très jeune âge, sans se rendre compte que ces émotions avaient teinté ses choix dans la vie. Elle a découvert qu'elle avait envié son frère et souhaité être comme lui. À ses yeux, il avait développé avec leur mère une intimité qu'elle n'avait pas. Elle s'était sentie isolée, prise de panique et en colère. Elle devait canaliser ses émotions intimes et inacceptables ailleurs, afin qu'aucun des êtres dont elle avait besoin et qu'elle aimait le plus ne soit en danger. Pour fuir ces sentiments cachés, elle les avait sublimés toutes ces années en devenant Miss Perfection. Rien de tout cela n'avait été fait consciemment.

Comme il est typique de ceux qui utilisent ce mécanisme de défense, Charlotte avait instinctivement transformé ses émotions détestables en comportements acceptables, en devenant la courtière la plus réputée et la plus performante qui soit. Nous l'avons assurée que les pulsions, les instincts et les pensées inconscientes font tous partie de la vie de chacun. Il n'y a rien d'intrinsèquement mauvais, de mal ou de destructif au sujet de ces croyances ou émotions profondément enfouies — elles sont normales. C'est ce que nous en faisons qui forge qui nous sommes, comment nous nous sentons présentement, de même que les choix que nous faisons en amour, au travail et dans nos loisirs.

Charlotte était allée trop loin. En sublimant ces sentiments intolérables, elle ne les avait jamais réexaminés et n'avait jamais même su qu'ils *existaient*. Son plan de vie était devenu le suivant : *réussir, avancer, éviter tout risque d'échec*. Quand le marché de l'immobilier s'est effondré, elle en a fait autant. L'échec était un sentiment impossible à affronter — il venait de l'extérieur *et* de l'intérieur, et c'était plus qu'elle ne pouvait se permettre.

Afin de rediriger ses premiers sentiments de désespoir issus de l'enfance, Charlotte les avait canalisés en cherchant à devenir la plus performante dans son domaine, ce qu'elle avait fait pendant longtemps. Toutefois, quand elle n'a pas pu empêcher la catastrophe qui se profilait — la chute du marché à grande échelle — elle s'est écroulée, elle aussi. Elle n'arrivait pas à mettre cet échec extérieur en perspective parce qu'elle n'avait jamais été confrontée auparavant à quoi que ce soit de semblable. À cause de circonstances extérieures, elle ne pouvait plus être la meilleure.

La Sublimation se charge de ce qui est inacceptable au fond de vous-même pour le reconstituer en actions,

en activités ou en comportements avec lesquels vous, votre famille et la société peuvent vivre acceptablement — et c'est bien ainsi. Mais comme vous le savez à présent, trop d'une bonne chose *peut nuire*. Comme tous les autres mécanismes de défense, la Sublimation peut éventuellement se retourner contre vous en érigeant des barrières autour du cœur. Ces barricades vous enferment et vous empêchent de connaître et de comprendre vos émotions profondes. Ne pas être conscient de ces émotions – celles qui vous répugnent – et les laisser enfermées dans votre inconscient risque de vous mener à une vie moindre que celle que vous méritez.

En manque et frustré

Si le terme *Sublimation* vous est un tant soit peu familier, nous parions que vous y pensez dans le contexte de la sexualité. Quand quelqu'un prend une douche froide après un rendez-vous amoureux qui n'a pas été consommé, il éteint ainsi ses ardeurs sexuelles. Il refroidit, au propre comme au figuré, les pulsions qu'il n'a pas pu satisfaire.

Songez à l'adolescente qui tape sur le piano du salon, tandis que ses parents s'arrachent les cheveux dans la cuisine. Il n'est pas difficile d'imaginer que cette jeune fille est remplie d'hormones de rage et de colère et que la musique est sa manière de libérer sa tension sexuelle et son agressivité. Nous connaissons tous un type qui se vante d'avoir les meilleurs, les plus gros, les plus récents et les plus dispendieux gadgets sur le marché. Nous nous posons la question *Que cherche-t-il à prouver ? Quelle est la taille de son pénis ?* Nous sommes agacés. Parfois, nous rions. Mais dans les moments calmes, nous saisissons : il a honte et il surcompense. Voilà la Sublimation à son meilleur dans son aspect sexuel !

Pour d'autres, le mot *Sublimation* fait penser à des athlètes très musclés et en super forme. Dans ce cas, elle prend la forme de la révolte contre l'adversaire : canaliser des pulsions *agressives* en actes convenables. Ce peut être d'enfiler votre short de boxe et de lacer vos gants de cuir, de transpirer abondamment en prenant contact furieusement mais prudemment avec l'adversaire. Ou alors de ballons : canaliser la tension en frappant la petite balle blanche, en lançant un ballon de football ou en jetant un gros ballon orange dans l'anneau du filet.

Oh, on dirait qu'on est encore en train de parler de sexualité ! Il existe en effet un lien très étroit entre l'agressivité et la sexualité. Les deux sont des expressions de besoins primaires. La Sublimation fait en sorte de mettre ces besoins dans des situations « acceptables » pour l'individu et la société.

Il est difficile de mettre au jour ces pulsions et ces élans cachés dans votre inconscient. C'est presque une ironie que de prêter attention à quelque chose que votre esprit vous a demandé de *toujours* ignorer. Toutefois, certains sentiments et certaines réactions sont plus faciles à comprendre que d'autres. En réexaminant, en réprimant, et en posant un regard critique sur ce que vous faites au travail, dans vos loisirs et en amour, vous vous exposerez à des pulsions qui sont cachées depuis longtemps. Nous allons vous aider à repérer certains de vos actes et leur sens.

Quelle est *votre* réplique ?

Dans les années 1950 et 1960, il y avait un jeu télévisé populaire qui s'appelait *What's My Line ?* Un panel de célébrités avait les yeux bandés, puis un «invité mystère» surgissait, quelqu'un qui avait fait quelque chose — de bien, de mal ou de loufoque — pour retenir l'attention. L'auditoire savait ce que l'invité avait fait, mais le mystère restait entier pour le panel. Chacune à leur tour, les personnalités posait une question au sujet de l'invité. Si elle recevait une réponse affirmative, elle avait le droit d'explorer plus loin en posant une autre question, et ainsi de suite, jusqu'à ce qu'elle trouve le fin mot de l'histoire.

Dans *notre* version du jeu, vous êtes l'invité mystère et nous représentons le panel. Nous voulons que vous commenciez avec ce que vous savez. Nous allons vous aider à savoir *si* vous sublimez et, le cas échéant, *comment* cela vous a servi jusqu'ici.

Si vous répondez oui à une question, fouillez davantage et posez-vous quelques questions supplémentaires. Nous vous en fournissons quelques-unes pour commencer. Vous en trouverez d'autres vous-même en reconnaissant des aspects de qui vous êtes.

Les questions doivent réveiller des émotions que vous pourriez avoir sublimées : vous avez été en colère contre quelqu'un; vous êtes contrarié d'avoir perdu quelque chose; vous êtes déçu de votre relation avec votre conjoint, vos enfants, la famille ou vos collègues; vous vous sentez laid(e) ou sous-estimé(e) dans votre féminité ou votre virilité; ou alors, vous brûlez de vous rapprocher de quelqu'un physiquement et affectivement. Nous ne pouvons pas connaître la raison exacte pour laquelle vous utilisez la Sublimation, mais c'est un moyen d'évaluer ce que vous fuyez exactement.

Rappelez-vous que le but d'explorer vos mécanismes de défense consiste à mieux les saisir. En prenant davantage conscience de votre façon de fonctionner, vous aurez un meilleur accès sur ce que vous êtes, ainsi que la lucidité qui vous aidera à faire les choix les plus gratifiants pour vous.

Q : Êtes-vous le premier arrivé au bureau le matin et le dernier parti? Si oui, est-ce parce que…

… vous adorez littéralement votre travail?

… vous préférez être au bureau plutôt qu'à la maison?

… vous récoltez du prestige auprès de vos collègues?

… vous pensez que c'est ce que la compagnie attend de ses employés?

… vous êtes du genre à toujours donner plus que votre cent pour cent?

… vous craignez de perdre votre emploi?

Q : Allez-vous au gym tous les jours, en plus d'être la personne la plus compétitive dans les tournois? Si oui, est-ce parce que…

… vous êtes un athlète naturel?

… vous n'êtes pas content de votre apparence et voulez vous mettre en forme?

… cela vous permet de ne pas traîner dans les rues, car vous pourriez avoir des ennuis?

… si vous ne laissiez pas évacuer la vapeur de cette façon, vous exploseriez?

… c'est une excuse pour sortir de la maison?

Q : Sortez-vous votre tronçonneuse pour élaguer les arbres de votre jardin quand vos beaux-parents viennent en séjour? Si oui, est-ce parce que…

… il est grandement temps de faire l'entretien de ces arbres?

… vous voulez que vos beaux-parents constatent à quel point vous êtes un bon époux?

… vous espérez laisser de l'intimité à votre conjointe avec ses parents?

… vous pensez que vos beaux-parents ne vous aiment pas et vous préférez rester à l'écart?

… vous ne *les* aimez pas et craignez que leur présence ne vous perturbe?

Q : Êtes-vous constamment en train de décorer et de repeindre votre maison? Si oui, est-ce parce que…

… vous vous lassez facilement et vous aimez le changement?

… lorsque votre demeure sera «parfaite», vous pourrez y inviter des gens?

… des gens vous ont déçue récemment?

… la maison de votre sœur a toujours meilleure apparence que la vôtre quoi que vous fassiez?

… le poste que vous convoitez *vraiment* n'est pas disponible présentement?

Q : Êtes-vous attiré par une carrière dans la police ou dans l'armée? Si oui, est-ce parce que…

… vous voulez être du côté des «bons»?

… vous aimez le pouvoir que confèrent l'uniforme et le port d'une arme?

… c'est une façon légale de botter les fesses à un abruti?

… vous voulez obtenir le respect que l'uniforme impose?

… c'est une façon de manifester votre virilité ou de démontrer que vous n'êtes pas une mauviette?

Q : Passez-vous de longues heures à jouer à des jeux vidéo, à faire des achats sur eBay, à mettre votre page personnelle à jour sur un site Web de réseau social ou à regarder du porno sur Internet? Si oui, est-ce parce que…

… votre vie quotidienne est trop ennuyante?

… vous n'avez pas vraiment d'amis?

… cela vous donne l'occasion de faire des choses que vous ne pouvez pas vraiment faire dans la vie réelle?

… vos amis sur le Web semblent vous apprécier davantage que ceux que vous connaissez en personne ?

… vous trouvez vos copains sur le Web plus intéressants que votre famille ou vos amis ?

Q : Sur une piste de danse, êtes-vous du genre à vous déhancher frénétiquement ? Si oui, est-ce parce que…

… votre fiancé se garde pour le mariage et que c'est la seule façon d'avoir un contact physique avec lui ?

… vous n'avez pas de compagnon et danser ainsi est ce qui se rapproche le plus de faire l'amour ?

… vous fantasmez en imaginant que vous dansez avec votre voisin marié, qui vous attire beaucoup ?

… vous pouvez « disparaître » dans la foule et le bruit d'une discothèque ?

… vous dansez vraiment bien et adorez l'attention que vous suscitez ?

Q : Vous n'avez pas d'enfant et vous habillez votre chien comme s'il en était un ? Si oui, est-ce parce que…

… vous adorez les animaux ?

… vous vous sentiriez seule sans Fanny ou Fido à qui parler ?

… vous aimez exercer votre autorité sur plus petit que vous ?

… la rupture avec votre dernier amoureux a été trop douloureuse à supporter, et dorénavant vous ne voulez que l'amour inconditionnel d'un animal ?

… votre chien n'a rien à redire ?

Q : Votre vie sociale est-elle remplie au point que ça fait dix ans que vous n'avez pas vu votre famille ? Si oui, est-ce parce que…

… vous préférez vos amis ?

… vous voulez montrer à votre famille que vous n'avez pas besoin d'elle ?

… vous n'arrivez jamais à lui plaire, de toute façon ?

… votre famille exige trop de vous ?

… votre famille a rejeté votre conjoint/ profession/ mode de vie, et cela vous blesse ?

Nous sommes certains que vous vous reconnaissez, en tout ou en partie, dans plusieurs des situations décrites. Jusqu'ici, certaines de vos activités vous ont gardé à distance de votre colère, de vos peurs, de votre tristesse, de votre solitude, de vos désirs et de vos frustrations. Certaines des façons dont vous utilisez la Sublimation sont plus faciles à comprendre que d'autres, plus subtiles. Il est tout à fait clair que vous sublimez si vous sortez la tronçonneuse quand vos agaçants beaux-parents se pointent chez vous. Il en va de même si, comme Byron, vous travaillez dans la police, ce qui est honorable, mais qui représente peut-être une décision de carrière qui prend sa source dans de l'agressivité sublimée qui a été redirigée.

Il peut vous sembler moins clair de repérer comment d'autres comportements sont liés à l'art de la Sublimation. Par exemple, avoir une relation d'amour avec votre chien vous réconforte. Des études démontrent que la tension artérielle et la santé globale sont favorisées par ce lien. Toutefois, des gens qui n'ont pas eu d'enfant transfèrent parfois tout leur amour inexprimé sur leur animal et se servent de la Sublimation comme mécanisme de défense pour survivre à leurs sentiments de perte.

Être plus conscient de la tristesse qui entoure une perte ne change pas le fait qu'elle existe. Et la Sublimation, comme nous l'avons dit, est un mécanisme de défense plus mature et plus sain que la plupart des autres. Mais même dans le cas de la dame et de son chien, le fait de comprendre ce que son animal représente favorisera l'harmonie de sa personnalité. Cela pourrait lui permettre d'utiliser le temps qu'elle met à habiller son chien ou son chat pour aller plutôt vers les autres et leur exprimer ses besoins.

Est-ce que la question concernant votre famille vous a rejoint? Y a-t-il longtemps que vous avez passé du temps de qualité avec des parents proches, alors que vous êtes très sociable avec vos pairs? Il y a des tonnes de raisons pour lesquelles vous pourriez rompre des liens avec des êtres chers. Cela dépend peut-être de vos sentiments inconscients de colère ou de ressentiment contre eux. Vous croyez peut-être, profondément, que vous êtes un raté qui ne correspond pas à leurs attentes et ne ressentez que leurs exigences à votre égard... Vous avez donc utilisé la Sublimation pour y faire face.

La récompense

La Sublimation peut être utile et vous motiver à accomplir beaucoup de choses. Mais souvent, elle vous transforme en cheval de trait avec des œillères et vous avancez lourdement en ne voyant qu'une partie du monde merveilleux tout autour. Vous méritez d'apercevoir le portrait global — de comprendre les forces qui vous font agir — et cela signifie trouver des moyens de reconnaître et finalement accepter ce que vous véhiculez en vous. Bien qu'il soit utile de vous distraire de certaines idées intolérables, il ne fait aucun doute qu'il vaut mieux développer une meilleure compréhension de vous-même, de vos motivations et de vos désirs. Prenez le temps d'explorer pourquoi vous avez choisi de faire ce que vous faites et, à travers cette introspection, vous pourrez grandir et être plus satisfait de votre vie.

Chapitre 8

CONSUMEZ VOTRE ANGOISSE MAINTENANT : DÉCOMMANDEZ LA *PROCRASTINATION*

Définition :

Procrastination : Remettre à plus tard des tâches ou des actions devant être entreprises ou complétées, pour ainsi éviter l'angoisse suscitant de l'inconfort et de la détresse.

En ce magnifique samedi matin, nous avions déjà avalé quelques tasses de thé, étions allés à la salle de bain plusieurs fois, avions ouvert la boîte de craquelins et grignoté du fromage dans la cuisine, et téléphoné à nos enfants respectifs à plusieurs reprises. Il se trouve que nous apprécions tellement la compagnie l'un de l'autre que nous pouvons parler de tout et de rien à l'infini.

Autrement dit, toutes les raisons étaient bonnes pour remettre à plus tard la rédaction de ce nouveau chapitre : anticipant l'anxiété de cette journée à réfléchir au sujet, à avoir du mal à avancer, à remettre les choses en question. Même si nous avons fait un plan de l'ouvrage, chaque chapitre a tendance à varier et à changer de direction au fur et à mesure que nous nous dirigeons vers la fin. Cette inter-action maintient notre enthousiasme, mais suscite également quelques questions angoissantes comme *Où allons-nous ensuite ?* et *Sommes-nous sur la bonne voie ?* Ce matin, nous sommes nous-mêmes victimes de la *Procrastination*. Cette armure du cœur derrière laquelle nous nous cachons si faci-lement nous protège des inévitables sensations d'inconfort.

Vous savez sans doute de quoi nous parlons. Vous devez entreprendre quelque chose, ou peut-être souhaitez-vous finir autre chose. Vous avez un échéancier établi par vous ou par quelqu'un d'autre — comme nous avons une échéance pour terminer ce livre —, mais vous n'arrivez pas à le respecter.

Tout le monde reporte l'inévitable à plus tard, à un moment ou à un autre. Réfléchissez à quand vous avez utilisé cette vieille tactique. C'était peut-être durant vos études : terminer un devoir, compléter un article de recherche, ou mémoriser toutes les capitales d'Europe ? Aujourd'hui, cela se passe peut-être au travail : présenter le budget de la société, commencer l'évaluation des employés ou mettre à jour les dossiers des clients ? Vous vous en servez peut-être dans une relation personnelle : garder contact avec votre sœur, avoir cette conversation à cœur ouvert avec votre père ou votre mère, ou vous excuser auprès de votre conjoint après une grosse discussion ? Quand vous voulez faire quelque chose pour votre bien-être — comme suivre un régime et faire de l'exercice, ou cesser de fumer la cigarette ou du pot —, mais que la tâche vous paraît trop décourageante, est-ce que la Procrastination intervient furtivement ?

Il est intéressant de remarquer que la raison pour laquelle nous avons tant de mal à faire face à la page blanche est l'une de celles qui expliquent pourquoi nous utilisons tous la Procrastination : le perfectionnisme. Avez-vous parfois l'impression que vous devriez savoir quelque chose du premier coup ou accomplir une tâche sans presque aucun effort ? Et que si cela ne coule pas aisément de votre cerveau, de votre plume ou de votre bouche, alors c'est que ça ne viendra pas du tout ? Vous vous dites que si vous devez vous débattre avec quelque chose — si ça n'avance pas de façon naturelle et que ce n'est pas formidable du premier coup — autant oublier tout ça. Vous luttez probablement contre une petite voix qui vous crie : *C'est tout ou rien !* Vous vivez les affres du perfectionnisme.

Cette façon fastidieuse d'être a son bon côté : elle vous propulse vers le meilleur de vous-même. Mais il s'agit d'une épée à double tranchant. Les gens qui ne peuvent fonctionner sans le perfectionnisme ne sont jamais satisfaits parce que leur esprit leur demande d'être surhumains ; or, c'est impossible. Alors, la grande sœur du perfectionnisme, la Procrastination, intervient pour vous empêcher d'avoir l'air ridicule. Elle met les freins, vous trouve des excuses, et vous aide à continuer de penser à tort que vous devez tout faire parfaitement — mais simplement *pas tout de suite.*

Vous pensez que cette grande sœur est un bienfait. Vous lui prenez la main et croyez qu'elle vous soulagera de votre anxiété. Mais en réalité, ce mécanisme de défense ne vous protège pas vraiment, car il fait naître un autre inconfort et sème le doute. Vous commencez à penser que vous n'avez pas les capacités pour y arriver, et cela peut aller jusqu'à croire que vous êtes un *perdant,* que vous ne valez rien. Cette pensée vous habite jusqu'à ce que la tâche soit commencée. Elle déclenche un malaise qui n'a rien à voir avec l'inconfort du départ.

Parce ce que vous ne faites pas ce que vous aviez l'intention de faire, au moment où vous aviez prévu de le faire, vous vous sentez minable. Un sentiment d'urgence commence à poindre et crée une nouvelle angoisse. Avec l'assaut de la Procrastination vient la chute : vous perdez confiance en vous et vous doutez de plus en plus de vos capacités.

Alors, vous vous cachez. Vous vous isolez et craignez que quelqu'un ne découvre votre imposture. Dans notre pratique, nous rencontrons constamment cette réaction : *Quelqu'un va me démasquer; je ne fais que semblant d'avancer.*

Comment arriverez-vous un jour à réussir si votre armure préférée est la Procrastination? Cette question nous amène à parler de notre procrastinateur préféré.

Lenny qui n'est pas paresseux

Notre relation avec Lenny était mitigée. Parfois, nous avions envie de crier après lui et à d'autres moments, nous l'aurions emmené chez le coiffeur en l'observant fièrement comme si c'était sa première coupe de cheveux.. Il réussissait bien comme entrepreneur général, mais sur le plan affectif, il en était resté à l'adolescence. Lenny avait mis sa vie et ses aptitudes d'adulte en veilleuse. Il était divorcé depuis quatre ans, et il venait tout juste de s'acheter un tapis pour son appartement vide. Il avait deux adolescentes dont il avait toujours été proche. Celles-ci n'avaient plus trop envie de passer du temps avec papa, mais lui voulait tout savoir sur les activités de ses filles. Il avait du mal à assumer ses 50 ans.

Il avait fallu plus d'un an à Lenny et à son épouse d'alors pour finalement aboutir dans notre bureau pour une thérapie conjugale. Ils avaient établi un record pour prendre des rendez-vous, les annuler et les reporter. La femme de Lenny se plaignait constamment que celui-ci vivait dans sa bulle, qu'il ne prenait aucune responsabilité domestique et qu'elle était fatiguée d'élever trois enfants toute seule : deux filles et un « fils » dans la cinquantaine.

Il était évident que Lenny s'enfermait dans sa bulle quand il s'agissait de contribuer aux tâches ménagères, d'aider ses filles dans leurs devoirs ou de finir des travaux qu'il avait promis de faire. Sa femme était toujours furieuse contre lui parce qu'il se préoccupait tellement de lui-même et de son entreprise, mais elle l'enviait aussi de vivre une relation tendre et étroite avec leurs filles. Au bout de nombreuses années de conflits, et une fois leurs filles devenues adolescentes, Lenny et sa femme ont choisi de divorcer à l'amiable.

Avec le temps, Lenny est devenu l'un de nos patients les plus engagés et intéressés à régler son problème. Après le divorce, il a poursuivi une thérapie individuelle. Il s'est concentré sur son besoin de recréer l'adolescence qu'il avait l'impression de ne pas avoir vécue : son père était parti alors qu'il avait dix ans et Lenny avait secondé sa mère pour s'occuper de la maison.

De l'enfant, qui avait été un bon fils toujours disponible et fait tout ce que sa mère lui demandait, à l'adulte aux bras croisés qui tenait ferme et négligeait les tâches réservées aux grands, Lenny avait facilement glissé dans la Procrastination. Toutefois, au long de la thérapie, il a fait de grands pas en se responsabilisant pour ses actes et en étant plus en mesure d'accomplir les petites choses qui autrefois lui échappaient. Il a même commencé à aller régulièrement chez le coiffeur !

Après avoir toujours fait ce qu'on lui demandait, sans jamais avoir eu l'espace nécessaire pour développer ses compétences via ses propres succès et échecs, l'adulte Lenny vivait une angoisse qui l'engloutissait. Il avait vécu pendant des années dans la peur constante de ne pas pouvoir faire les choses par lui-même. Il craignait de ne pas réussir s'il essayait et que ses échecs lui feraient honte et le mettraient dans l'embarras.

Par-dessus tout, Lenny en était venu à croire que d'essayer ne suffisait pas et qu'il n'avait pas d'autre choix que de réussir parfaitement du premier coup. La notion d'échec ou de répéter plusieurs fois la même chose lui répugnait. Pour compenser cette façon de penser contraignante, parvenu à l'âge adulte, il s'est buté sans le savoir et s'est tenu fermement à l'idée qu'il arriverait à faire les choses un jour ou l'autre : la porte d'entrée idéale à la Procrastination. C'était dans sa façon d'aborder sa vie professionnelle que cela était le plus évident.

Lenny travaillait dans le domaine de la construction immobilière commerciale depuis plus de 25 ans. Il avait pris la relève du frère de sa mère. Oncle Max aimait beaucoup son neveu et Lenny avait passé ses étés à travailler pour lui et à apprendre le fonctionnement de l'entreprise. Max avait sa façon personnelle de diriger les choses, mais lorsque Lenny a pris la relève, il ne semblait pas y arriver aussi bien ni à faire rouler les affaires comme au temps de Max.

Lenny était toujours en retard pour les soumissions, les réunions et les documents à remettre à la municipalité. Il était mal à l'aise de le dire à qui que ce soit quand il se sentait submergé, dépassé et imparfait. Son bureau débordant de papiers et la porte verrouillée, il se précipitait sur l'ordinateur pour vérifier 50 fois par jour ses actions en bourse.

Malgré le manque de leadership, l'entreprise prospérait grâce à l'intégrité et à la personnalité de Lenny. Poussé aux dernières limites, il finissait toujours par faire le travail. Toutefois, la souffrance qu'il éprouvait à cause de sa procrastination était de loin pire que de perdre éventuellement un client. Lenny mangeait et buvait trop, sans compter qu'il dormait trop peu. Tout cela était dû à son angoisse permanente de prendre du retard et de ne pas pouvoir rassembler l'énergie nécessaire pour faire ce qu'il avait à faire. En outre, il était déprimé.

En thérapie, nous avons fait remarquer à Lenny à quel point il était nerveux et pessimiste en consultation et qu'il semblait l'être depuis longtemps. Il a été renversé quand il a finalement compris que, durant toutes ces années, il s'était perçu comme inefficace et un peu enfantin. Bien qu'il ait été un mari et un père et avait dirigé une grosse entreprise, il se sentait incompétent pour prendre des décisions «d'homme». Il avait toujours mis en doute ses choix et ses actes. Après tout, sa mère avait dirigé sa vie — lui dire quoi faire et quand — afin de l'aider à garder le cap. Comme elle aurait souffert de voir son fils lutter, elle intervenait pour l'empêcher d'échouer dans ce qu'il entreprenait. À cause de sa propre angoisse, la mère de Lenny ne tolérait pas que son fils puisse souffrir des conséquences naturelles de grandir.

Cela l'a amené à se croire incapable de faire quoi que ce soit, et c'est ainsi qu'il doutait de ses aptitudes. Il n'avait jamais fait confiance à son propre jugement ni à ses compétences. S'il avait une décision à prendre ou une tâche à accomplir — et qu'il était convaincu que ça n'allait pas réussir du premier coup — pourquoi même essayer?

C'est ainsi qu'est née ce que nous appelons une *pile de Procrastination*. Nous avons donné à Lenny un exercice à faire, que vous pouvez essayer également.

Pile de Procrastination proverbiale

Lorsque vous essayez de vous motiver pour entreprendre la tâche que vous évitez depuis longtemps, il est nécessaire de commencer par établir des paramètres précis.

Ne vous en mettez pas plus sur le dos que vous n'êtes capable d'en prendre. Autrement, vous allez étouffer.

Procurez-vous une minuterie ou servez-vous de l'alarme de votre montre ou de votre portable. À la même heure, chaque jour de la semaine (le week-end, c'est congé), mettez la minuterie ou l'alarme en route et apportez-la au travail, dans votre chambre, dans la salle de bain, là où s'accumule la pile de Procrastination proverbiale. Réglez la minuterie à dix minutes : c'est la règle. Ramassez quelques documents, du courrier, des photos, des CD, des vêtements, de la vaisselle — bref, votre pile — et passez à l'action. Classez, organisez, jetez, nettoyez, lisez… peu importe. Quand la minuterie sonnera, arrêtez-vous. Vous en avez assez fait pour la journée. Ne poursuivez pas la tâche. *Arrêtez*. Vous y reviendrez demain. Si vous continuez, vous neutralisez l'objectif de l'exercice. Conformez-vous-y. Avec le temps, vous serez surpris de tout ce que vous aurez accompli. Retardez la gratification et vous en bénéficierez davantage.

Lenny se méfiait de cette idée de «pile de Procrastination». Durant des semaines, il a hésité — *procrastiné* — prétextant que cette règle des dix minutes était stupide. «C'est idiot de m'arrêter en chemin, une fois que j'ai enfin commencé. J'aurai du mal à m'y remettre de nouveau ensuite.»

Nous avons demandé à Lenny de nous faire confiance, de cesser de gémir et de simplement suivre les règles de l'exercice. Nous avons émis l'hypothèse qu'il nous percevait comme sa mère et qu'il luttait contre l'intrusion de celle-ci en manquant de confiance dans notre recommandation. Il nous énervait, puis il riait en disant qu'il ressentait souvent l'envie de nous contredire. Même à contrecœur, il s'est fina-lement lancé dans cette mission. Nous avons établi la règle : cesser de classer et de ranger les dossiers de son bureau au bout de dix minutes. Que la tâche choisie chaque matin soit la même que le jour précédent ou pas. Cela importait peu.

La deuxième semaine, Lenny opposait encore de la résistance et n'avait toujours pas confiance en cet exercice « stupide ». Nous avons été patients et récompensés, car la troisième semaine, Lenny est arrivé dans notre bureau radieux. « C'est vraiment moins accablant à présent, a-t-il dit. Le simple fait de savoir que je dois retourner sur la scène du crime le lendemain semble m'aider à cesser de m'en vouloir de ne pas avoir fini, et je termine en dépit de ma résistance. Et devinez quoi? Je me sens moins nerveux et agité à l'intérieur. La tâche ne me fait plus craquer. J'ai même hâte de m'y remettre. »

En se soumettant à cette expérience inconfortable au début, Lenny en est venu à comprendre qu'il pouvait faire n'importe quoi, s'il l'avait décidé, dans la mesure où il se permettait de rester réaliste en termes d'attentes. Il a commencé à mieux comprendre ses capacités en réalisant que si les choses devenaient difficiles, il n'était pas obligé pour autant de s'isoler du monde et de ses exigences. À la place, il pouvait honnêtement sentir au fond de lui que tout irait bien, qu'il pouvait se reprendre et être son propre juge. Grâce à ce simple exercice (qu'il a continué à pratiquer presque quotidiennement durant des années) — et grâce aussi à sa relation avec nous : rassurante, encourageante, bien que difficile — il a appris que *c'est petit à petit qu'on peut réussir*. Il est devenu plus tolérant envers lui-même et ses imperfections. Bien que parfois Lenny se retrouvait encore confronté aux piles de Procrastination proverbiale de la vie, il était capable de renverser la situation et de ne pas se laisser accabler.

Rien à craindre sinon la peur elle-même

Chacun se reconnaît quand il s'agit de ranger le foutoir, faire les comptes ou classer la paperasse. Et notre exercice est un bon outil pour maîtriser ce genre de tâches. Mais nous présumons que vous vous demandez : «Comment terminer quelque chose de plus considérable qu'une simple pile de documents à classer ou de donner des vêtements que j'avais planifié offrir à une œuvre caritative il y a trois ans ? Comment faire pour terminer cette tâche qui me pèse et que je n'arrive pas à finir à temps — cette chose qu'il me faut faire sinon il y aura de graves conséquences... la chose qui, si je la finissais, rendrait ma vie moins stressante durant un certain temps ? Et pourquoi je ne le fais pas sachant, qu'autrement, les conséquences seront catastrophiques ? » Pour nous, cela indique à quel point les raisons pour lesquelles vous ne le faites pas sont puissantes.

Ce que vous évitez et qui vous hante, ce sont peut-être les déclarations fiscales que vous n'avez pas faites et la pénalité encourue qui est maintenant énorme. Ce sont peut-être les primes d'assurance non réglées et la police qui sera bientôt annulée. Ou alors, la Procrastination vous empêche d'aller faire les examens médicaux nécessaires, et vous en subissez les graves conséquences de dents cariées ou d'hypertension qui auraient pu être réglées avant d'empirer. Ce sont peut-être des réparations à la maison que vous avez négligées — pas à cause d'un problème d'argent — à présent, la plomberie fait défaut ou les termites ont déjà causé des dommages irréparables et il vous faudra débourser des milliers de dollars de plus.

D'où viennent tous ces dilemmes du «Je m'en occuperai plus tard» ? Ils tiennent leur source dans la peur. Bien sûr, le perfectionnisme qui mène à la Procrastination est basé sur la peur, celle d'avoir l'air d'un imposteur ou de ne pas maîtriser la situation. Mais en dehors de la menace de ne pas être parfait, il y a d'autres peurs qui vous empêchent de faire ce qu'il y a à faire : celle d'être embarrassé ou rejeté, la peur de l'inconnu, du conflit, de la réussite, et la plus grande entre toutes — l'échec. Ce sont là les raisons incontestables, aussi erronées soient-elles, qui empêchent d'agir.

Les psychothérapeutes ont adopté une définition très appropriée pour ce mécanisme de défense du cœur :

La peur est une fausse preuve qui semble réelle. C'est-à-dire saisir des parts d'information, vraies ou pas, et agir et vivre comme s'il s'agissait de paroles d'Évangile.

Il est probable que vous avez des peurs depuis l'enfance et que vous continuez de croire qu'elles sont encore réelles aujourd'hui. Elles proviennent de votre exposition à de nombreuses personnes différentes dans votre milieu et à des situations diverses, certaines sans importance, d'autres traumatisantes. En grandissant, vous avez conservé bon nombre de ces peurs et votre cerveau croit qu'elles sont réelles sans même les avoir vérifiées. Souvent, ces peurs se sont façonnées dans des circonstances qui vous ont inculqué des présomptions et de l'inconfort que vous *croyez* irrévocables. Toutefois, une bonne partie de ce que vous avez cru vrai à un moment de votre enfance ne l'est probablement plus à présent... sauf que vous continuez à vivre comme si ce l'était.

Sans même que vous n'en ayez conscience, toutes ces peurs sont devenues des raisons pour vous garder *non* motivé. Il faut blâmer la peur pour rester paralysé, à ne rien faire et à procrastiner. La seule façon de maîtriser la peur qui vous empêche d'accomplir ce que vous remettez à plus tard consiste à identifier plus clairement de quoi vous avez peur. L'histoire de notre patiente Jenny vous aidera peut-être.

La peur de Jenny

Jenny nageait dans des peurs qui n'avaient plus leur raison d'être : elle est un exemple vivant de ce dont nous parlions précédemment. Quand elle avait 12 ans, elle dépensait souvent toute son allocation en maquillage. Comme tant d'autres parents, sa mère lui avait fait remarquer : «L'argent te file entre les doigts. Tu n'apprendras jamais la valeur d'un dollar, n'est-ce pas ?»

Jenny était maintenant une adulte qui se battait pour réussir. Même si son superviseur lui avait donné des conseils pour obtenir une promotion, elle remettait à plus tard ce qu'elle devait faire pour grimper les échelons et atteindre le sommet de sa profession. Elle procrastinait. Elle croyait fermement ne pas pouvoir accumuler de la richesse, que le succès allait lui filer entre les doigts, comme son allocation quand elle était petite.

Voyez comment des mots très simples et apparemment sans conséquences ont marqué Jenny. Sa mère n'était certainement pas mal intentionnée, et tous les parents font et disent des choses qu'ils ne soupçonnent pas que leurs enfants vont enregistrer pour la vie. Nous n'avons pas non plus l'intention de blâmer les mères et les pères, mais simplement de faire remarquer comment chacun d'entre nous assimile des paroles, s'y accroche, les remanie et se comporte en conséquence dans l'âge adulte. Naïvement, nous intégrons l'information, la faisons nôtre, développons des peurs et des convictions au sujet de nous-même et de notre place dans le monde, puis négligeons de les remettre en question par la suite.

Confronter nos peurs

Identifier la peur qui vous enferme vous aidera à relâcher ce mécanisme de défense. Commencez à regarder *derrière* vous pour trouver ce qui vous empêche d'aller *de l'avant* !

Essayez de comprendre ce que vous craignez qu'il arrive si vous terminez la tâche que vous remettez à plus tard :

- Les autres vont vous envier.

- Vous serez obligé de continuer et vous n'êtes pas sûr d'en être capable.

- On vous demandera peut-être des comptes et vous devrez défendre votre point de vue.

- Vous serez séparé du reste du groupe : vos amis, la famille, la communauté.

- Vous accomplirez la tâche de travers et devrez recommencer.

- Le résultat ne sera pas à la hauteur de vos attentes ou insatisfaisant pour quelqu'un d'autre.

- Terminer une tâche entraînera encore plus de travail pour vous.

- Vous ne maîtriserez pas l'issue ni la façon dont les autres réagiront.

- Vous obtiendrez de l'information qui va vous perturber.

- Vous aurez l'air ridicule et les gens riront de vous.

- Vous risquez de froisser quelqu'un et vous préférez préserver la paix.

Vous vous êtes sans doute reconnu dans l'une de ces raisons ou alors vous en avez découvert d'autres. Maintenant que vous avez une idée de ce dont vous avez peur advenant que vous entrepreniez une tâche et que vous la finissiez, choisissez un ou deux exemples qui vous rejoignent le plus et écrivez en détail ce que vous craignez qu'il arrive. Ne vous retenez pas : laissez libre cours à votre angoisse. Rappelez-vous qu'il ne s'agit que d'un faux prétexte qui semble vrai. Puis, remaniez l'issue éventuelle : ce qui pourrait arriver de pire dans un scénario réaliste. Chaque fois que vous prenez conscience de vous diriger vers la Procrastination, faites de la question suivante votre mantra :

En réalité, quel est le pire qui puisse arriver ?

Pour vous aider à démarrer, voici quelques exemples de ce que nous entendons par là.

La peur d'être envié

— Scénario basé sur la peur : Si j'arrive à poser ma candidature en vue de cette promotion, mes collègues vont médire dans mon dos. Elles prétendront que j'ai menti et triché pour l'obtenir. Personne (sauf les lèche-bottes) ne voudra me fréquenter de nouveau et je devrai manger seule le midi. Ma sœur va me bouder et me faire sentir coupable parce que je réussis mieux qu'elle. Ma mère a toujours été jalouse de ne pas avoir fait carrière comme moi et n'en parlera même pas.

— Le pire qui puisse arriver dans un scénario réaliste : Quand je poserai ma candidature, mes collègues me demanderont probablement pourquoi je ne l'ai pas fait plus tôt. Comme je n'ai jamais menti ni triché, il se trouvera beaucoup de gens pour faire taire cette rumeur avant même qu'elle ne circule. Bien sûr, il y aura quelques pommes pourries qui seront vertes d'envie, mais pourquoi me soucierais-je de ce qu'elles pensent, de toute façon ? Et même si quelques personnes se sentent intimidées par mon nouveau statut, je peux toujours *les* inviter à déjeuner. Ma sœur et moi avons toujours été rivales, mais nul besoin de le lui rappeler et nous sommes suffisamment proches pour pouvoir nous parler — et même rigoler — à ce sujet. Si ma mère a du mal avec mon prestige, je m'organiserai *moi-même* une belle fête !

La peur d'être embarrassé

— Scénario basé sur la peur : Je ne peux pas essayer d'avoir le premier rôle dans la pièce avant d'avoir suivi d'autres cours de théâtre, sinon je serai ridicule. Tout le monde va rire de moi. Me connaissant, j'empirerai les choses en inventant une vieille excuse pour être si mauvais : « Le chien a déchiqueté mon texte » ou « J'ai mal à la gorge ». Je risque de me consumer sur place et de ne plus jamais pouvoir me pointer le bout du nez au théâtre communautaire. Ce serait la fin de tout.

— Le pire qui puisse arriver dans un scénario réaliste : J'ai déjà suivi des leçons de théâtre et mes professeurs m'ont clairement signalé mes forces et mes faiblesses. Je pense être capable de jouer ce rôle, mais des tas d'autres le voudront aussi, et la plupart d'entre eux sont sans doute aussi nerveux que moi. Si je rate l'audition, je ne serai pas le seul, et les autres sont plus susceptibles de me manifester de l'empathie plutôt que de rire de moi. Si je n'obtiens pas le rôle, j'en décrocherai peut-être un autre ou alors je participerai au travail en coulisses. J'ai toujours aimé cela. Sinon, il y aura toujours l'année prochaine.

La peur du rejet

— Scénario basé sur la peur : Je sais exactement ce qui va se passer si je trouve enfin le courage de demander à cette charmante jeune fille de sortir avec moi. Elle me sourit souvent et me salue toujours, mais c'est sûrement parce qu'elle a pitié de moi et de mon corps chétif. Si je lui propose un rendez-vous, elle ne sera plus gentille avec moi et dira à tous ses amis que j'ai osé lui faire des avances. Les gars ne me parleront plus ensuite et ne m'aideront plus dans mon entraînement. Je devrai cesser d'aller au gym et je resterai assis devant la télé, en grossissant chaque jour davantage.

— Le pire qui puisse arriver dans un scénario réaliste : Voilà déjà six mois que je vais au gym et tout le monde est gentil là-bas. La jolie fille semble accessible et je n'ai pas de raisons de croire qu'elle me tournerait le dos si je lui demandais de sortir. Peut-être même qu'elle m'y encourage. Si j'arrive à faire le pas et qu'elle refuse, c'est peut-être parce qu'elle fréquente quelqu'un ou pour une autre raison qui n'a rien à voir avec moi. J'aurai au moins brisé la glace et nous pourrions devenir bons amis.

La peur de l'inconnu

— **Scénario basé sur la peur :** Ces relevés de cartes de crédit s'empilent sur mon bureau et l'idée de les ouvrir me rend malade. Les limites sont sans doute atteintes et les intérêts et les frais de retard s'accumulent, mais je ne suis pas sûr de la somme que je dois. Si j'ouvre les enveloppes, il se peut que je découvre que je suis tellement endetté que je ne m'en sortirai pas. Je devrai peut-être déclarer faillite ou vendre ma maison. Il faudra me résoudre à aller vivre sous les ponts !

— **Le pire qui puisse arriver dans un scénario réaliste :** Je vais ouvrir les enveloppes et évaluer l'état de mes finances. Oui, je suis largement endetté, mais pratiquer la politique de l'autruche ne fera qu'empirer les choses. Ce n'est peut-être pas aussi terrible que je l'imagine et je m'en fais pour rien. En revanche, il se peut que ce soit catastrophique, mais je peux stopper le processus en téléphonant à la banque pour négocier un taux d'intérêt plus bas et une entente de paiement. Je devrai détruire mes cartes de crédit et me serrer la ceinture jusqu'à ce que je sois sorti d'affaire. Je ne m'achèterai plus de chaussures griffées pendant un certain temps.

La peur de l'échec

— **Scénario basé sur la peur :** Au bout de plusieurs années à y penser, je veux quitter mon emploi et partir à mon compte. Mais je crains d'être lamentable. Personne ne voudra de mes services ou de mes produits. Je devrai puiser dans les fonds universitaires de mes enfants et prendre une nouvelle hypothèque sur ma maison pour rester à flot. Nous allons tout perdre. Je ne pourrai pas être embauché par une autre société, car j'aurai brûlé tous les ponts. Ma femme va me quitter et emmènera les enfants avec elle. Ils ne me parleront plus jamais et je deviendrai un vieil homme triste au chômage.

— **Le pire qui puisse arriver dans un scénario réaliste :** Je ferai mes calculs et établirai un solide plan d'affaires pour m'assurer que mon projet est viable avant de quitter mon emploi. Je veillerai également à ce que ma nouvelle entreprise ait les fonds nécessaires. Je conserverai de bonnes relations avec mes collègues dans mon ancien domaine de travail. Je travaillerai même à temps partiel jusqu'à ce que ma nouvelle entreprise soit bien en route. Advenant qu'elle ne fonctionne pas (car beaucoup de nouvelles entreprises échouent), je discuterai avec ma femme des options à envisager. Nous trouverons un plan d'urgence pour reprendre le dessus. Je devrai peut-être travailler comme subalterne durant un certain temps.

🍷

Ne croyez-vous pas que tous ces scénarios basés sur la peur sont un peu tarabiscotés ? Il est facile de voir comment vous utilisez commodément ce moyen inapproprié pour vous éloigner de ce que vous voulez le plus dans la vie — l'amour, les contacts humains, de l'aide et du soutien — lorsque vous les mettez ainsi par écrit. Et après ?

C'est une chose de reconnaître comment vous vous servez de la Procrastination ; c'en est une autre de commencer à la gérer. De par sa nature, ce mécanisme de défense particulier est difficile à déjouer.

Voici quelques conseils pour vous aider :

— Visualisez-vous en train d'accomplir la tâche, de franchir le pas, de faire le changement. Si vous ne parvenez même pas à vous *imaginer* en train de l'accomplir, les chances sont très minces que vous y arriviez dans la réalité. Cette technique est très utilisée chez les athlètes et les acteurs : ils pratiquent ou répètent dans leur tête. Elle est scientifiquement prouvée, car le cerveau se sert des mêmes circuits neuronaux pour imaginer une activité que pour la réaliser.

— Suivez la règle des dix minutes. Vous savez déjà qu'elle a fonctionné pour notre ami Lenny. Faire les choses par petites doses aide vraiment.

— N'essayez pas de tout faire d'un seul coup, car vous risquez de vous décourager. Si vous pratiquez la Procrastination à grande échelle, entreprenez soit la tâche la plus facile soit la plus difficile d'abord, celle que vous pensez qui vous motivera le plus. Vous pourriez avoir envie de vous débarrasser du plus dur au début, car la suite vous semblera alors du gâteau. Ou vous êtes du genre qui préfère s'encourager en commençant par le plus simple pour aller vers des tâches plus complexes.

— Rendez la tâche amusante. Créez un climat joyeux pour accomplir votre tâche. Et rappelez-vous qu'il n'est pas nécessaire de tout faire à la perfection. Il arrive souvent que la gratification se trouve dans le processus plutôt que dans le résultat.

— **Récompensez vos efforts.** Offrez-vous le cinéma ou un massage lorsque vous avez complété une tâche que vous aviez remise à plus tard. Ou prenez simplement le temps de savourer le fait de ne plus avoir cette épée de Damoclès au-dessus de la tête.

Au rayon du cœur

Dans une recherche réalisée à l'Université d'État de l'Ohio, des étudiants réputés les pires procrastinateurs dans un cours comportant de nombreuses échéances ont obtenu des notes nettement plus basses que ceux qui reportaient moins leurs travaux à plus tard. Les pires obtenaient une moyenne de 2,9 sur une échelle de 4, tandis que les autres enregistraient une moyenne de 3,6. Les pires trouvaient également des excuses du genre « Je travaille mieux sous pression » pour justifier leur comportement. Les résultats indiquent clairement qu'en fait, les procrastinateurs *ne* travaillent *pas* mieux sous pression. Qui plus est, ils ne savent probablement pas à quel point ils réussiraient mieux s'ils ne remettaient pas à plus tard. Leurs faibles notes ne font que confirmer que leurs excuses ne sont rien d'autre que des *excuses*… justement.

La récompense

Remettre à plus tard vos responsabilités vous isole et vous maintient dans l'inconfort permanent. Alors que si vous cessez de procrastiner, les effets seront étonnants. Vous en ferez l'expérience dans de nombreuses ramifications. Vous serez disponible pour régler les aléas de la vie au fur et à mesure qu'ils se présenteront; vous aurez la chance de réaliser vos rêves, de vous sentir bien, d'être fier de vous; et le plus important, vous serez ouvert pour établir et conserver des relations saines et dynamiques.

La douleur sourde, le bourdonnement qui vous habitaient et vous empêchaient d'être présent à vous-même et aux autres se dissipent. Renoncer à ce mécanisme de défense vous ouvrira des opportunités dans le milieu du travail et vous aidera à reconnaître la valeur des gens autour de vous. Vous serez soulagé à l'idée que votre vie n'est plus remplie de regrets à l'égard de chances ratées et de désirs non assouvis.

Chapitre 9

PRENEZ SOIN
DE VOUS-MÊME :
MODÉREZ
L'*ALTRUISME*

<u>Définition</u> :

Altruisme : Donner de vous-même — en temps, en argent ou en énergie — d'une façon qui gratifie et néglige en même temps vos propres désirs et besoins. Le terme dérive du mot *autrui* (les autres), qui à son tour vient du latin *alter* (autre).

Il nous fallait sortir un peu de notre bureau avant d'entreprendre la rédaction de ce chapitre. En fait, nous aurions aimé prendre des vacances, mais nous n'avions le temps que pour une promenade au centre commercial du quartier. Comme nous sommes en décembre, nous vous demandons un peu de tolérance, même si c'est peut-être l'été au moment où *vous* lisez ces lignes.

Malgré que l'air soit souvent frais et le temps, clair et ensoleillé, à Los Angeles en cette période de l'année, il semble que tout aille mal pour bon nombre de gens, car la période des fêtes remue des émotions profondes.

Des souvenirs des joyeuses réunions de famille vous font sourire. Vous vous demandez avec nostalgie depuis quand tante Betty est morte. L'excitation que suscite le premier Noël de votre bébé vous mène droit au magasin pour dépenser au-delà de vos moyens. La nourriture, les odeurs, les sons et la compagnie de vos frères, sœurs et cousins vous excite. Toutefois, savoir que votre mère se prépare pour le grand dîner familial, alors que vous êtes encore en froid avec votre frère Georges, vous inquiète et vous donne la nausée. Pour quelques-uns d'entre vous, désirer être avec la famille que vous *souhaiteriez* avoir, plutôt que de vous accommoder de celle que vous avez, est plus douloureux que le compte Visa qui arrivera en janvier.

Les Fêtes, c'est aussi une période de l'année où donner aux moins fortunés est devenu un rituel. Dans le centre commercial, vous apercevez l'Armée du Salut qui sonne sa cloche et vous rappelle qu'il y a plusieurs façons de partager votre chance, grande ou pas. On s'attend à des actes de générosité au temps des Fêtes. Vous avez sans doute conscience que les chèques que vous libellez en cette fin d'année sont déductibles d'impôt. Sans vouloir avoir l'air trop cyniques, donner et recevoir quelque chose en retour sont intrinsèquement liés. L'*Altruisme*, l'une des armures du cœur les plus bienveillantes et les plus acceptables, comporte à la fois le fait de donner *et* de recevoir.

Sur le sujet de Noël, personne n'illustre mieux l'Altruisme que le Père Noël. Voilà un personnage qui a largement dépassé l'âge de la retraite et qui pourtant, chaque année après l'Action de Grâce, se rend dans les centres commerciaux pour écouter patiemment les désirs et les vœux des enfants. Quand vient la fameuse nuit, il sort par un froid glacial et tente de réaliser, un par un, les rêves de tout le monde. Il se nourrit exclusivement de biscuits faits maison, ce qui lui donne un gros ventre difficile à passer par les cheminées. Et tout cela après une année complète à faire des listes de cadeaux, à confectionner des jouets et à s'occuper des rennes.

On pourrait croire que de nos jours, les enfants lui envoient leur liste par messages texte, qu'il fait fabriquer les jouets en Chine, et charge UPS de les livrer afin de pouvoir passer la veille de Noël comme tout le monde : les pieds sur le pouf, en sirotant un apéro et en regardant *La vie est belle*. Mais comme son cœur est plein de bonté, il conserve la tradition et apporte de la joie et de l'émerveillement à des millions de personnes. En apercevant l'étincelle de son regard et en entendant son « ho-ho-ho », on sait qu'il est content de ce qu'il fait.

La forme la plus pure de ce mécanisme de défense consiste à donner… et à ressentir la satisfaction de simplement savoir que les autres bénéficient de votre générosité. Au demeurant, pendant que nous réfléchissions à l'Altruisme durant la période des Fêtes, on diffusait des histoires de partage à la radio et dans les journaux. L'une des plus médiatisées concernait un riche homme d'affaires de Kansas City, un « Père Noël secret » dans la vie réelle. Il a pris la relève quand un bon ami à lui, riche homme d'affaires également, du nom de Larry Stewart, est décédé. Stewart avait déjà été sans-abri et traversé des périodes difficiles, mais il avait renversé la vapeur et fait fortune. Durant 26 ans, il s'est promené dans les rues et a personnellement distribué plus d'un million de dollars.

Le nouveau Père Noël, qui désire rester anonyme, parle de son ami avec respect. « Il a donné à quelqu'un cent dollars… Tout ce qu'il demandait en retour, c'est que cette personne pose un geste gentil pour une autre, afin que la bonté circule », a-t-il déclaré dans une interview sur les ondes de ABC. Au cours de la première année, où il a pris la relève de son ami, l'Altruisme de ce nouveau Père Noël a changé la vie de 600 inconnus. Il croit que si 100 $ peut inspirer 1000 personnes à poser un geste de bonté pour quelqu'un d'autre, c'est un investissement qui en vaut la peine.

L'argent qu'on donne n'est qu'une des formes de l'Altruisme. Prendre des mesures pour aider les autres à affronter leurs difficultés personnelles en est une autre. S'occuper d'une popote roulante pour les malades ou les gens âgés, d'une soupe populaire, aller promener le chien pour quelqu'un qui doit s'absenter, travailler comme conseiller dans un camp d'été pour enfants handicapés, faire la lecture à des tout-petits à la bibliothèque du quartier, être bénévole en sauvetage, et tant d'autres façons de «faire le bien» au sens le plus positif du terme représentent ce qui rend ce mécanisme si précieux à tous. Tous ceux qui accomplissent des actes de compassion concrets en ressentent de la gratification. Vos meilleures intentions et actions sont nobles et honorables et vous semblent désintéressées. En réalité, elles viennent de votre profond désir d'être aimé, protégé, et moins isolé et seul au monde.

Il y a aussi des gens qui ne sont pas seulement bénévoles à temps partiel, mais ont choisi de consacrer leur vie au service des autres. En raison de leur profession, ils sont entièrement engagés dans le don de soi. Avez-vous lu l'article sur ce couple qui a émigré en Afrique pour s'occuper de bébés mourants ? Et connaissez-vous Médecins sans frontières ? Vous avez sûrement entendu parler de l'aumônier qui visite les salles d'urgence pour réconforter les familles ? Ou du travailleur social qui prend soin de mères et d'enfants sans-abri dans un quartier défavorisé ? Et que penser des militants communautaires qui travaillent à temps plein pour garder les centres récréatifs ouverts dans des secteurs pauvres ? Ou de la personne qui dirige une banque de sang et se rend personnellement en voiture dans des régions éloignées ?

Remercions le ciel pour ces âmes généreuses. De telles manifestations d'Altruisme aident les autres à survivre, à grandir et à mieux vivre. Du même coup, ces gens qui se donnent à fond et épuisent constamment leur énergie, ou qui investissent tout leur argent accueillent avec plaisir la perspective d'obtenir du réconfort et de la paix intérieure en échange du don de soi.

Cause de chagrin

Bien que ce soit difficile à identifier, l'Altruisme prend parfois racine dans la croyance erronée que tous les autres valent mieux que vous. Alors vous travaillez en temps supplémentaire — non seulement pour la satisfaction consciente d'observer les autres profiter de votre charité, mais également parce que c'est la seule façon de croire que vous avez une certaine valeur à vos yeux. Parfois, l'Altruisme vient de la croyance en votre for intérieur que vous serez abandonné si vous ne représentez pas tout pour tout le monde. Et occasionnellement, la source de l'Altruisme est si profondément enracinée que vous n'avez pas conscience que quelque part au fond de vous se trouve le sentiment qui dit : *Si je fais cela pour toi, comment pourrais-tu ne pas en faire autant pour moi ?* Faire le bien est un moyen très constructif d'ajouter de la plénitude dans votre vie tout en soulageant une partie de votre angoisse — comme tous les bons mécanismes de défense !

Il vaut la peine de répéter à quel point l'Altruisme est un mécanisme important pour vous et pour l'humanité. Sauf que, comme toutes les habitudes et les attitudes de sa catégorie, l'Altruisme est parfois si bien ancré qu'il donne des résultats opposés à l'intention du départ. Anna, la fille de Sigmund Freud, est devenue une voix importante en psychologie. En 1936, elle a publié son remarquable livre *Le Moi et les mécanismes de défense.* Elle est allée au-delà de la pensée de son père quand elle a découvert une nouvelle façon de percevoir l'Altruisme, qu'elle a qualifiée d'*abandon altruiste.* Ce concept renversait l'aspect sain de l'Altruisme et révélait à quel point trop d'une bonne chose peut vous empêcher de vivre pleinement. Anna savait que si vivre pour les autres était votre seule façon d'exister, c'est certainement que vous ignoriez vos besoins et vos talents particuliers. Anna avait découvert quelque chose… et s'en serait sûrement donné à cœur joie avec notre ami Norman!

Le noble Norman

Un organisme à but non lucratif se trouve à proximité de nos bureaux. Chaque fois que nous rencontrons un employé dans le couloir, dans l'ascenseur ou au café du rez-de-chaussée, cette personne est toujours affable et joyeuse. Celui à l'origine de cette bonne humeur, c'est Norman, le chef de bureau. Avec le temps, il est devenu un ami et nous échangeons des blagues. Norman inspire les autres à lui confier leurs secrets. Il aurait pu être un formidable thérapeute, doté d'une grande compassion. Bien qu'il soit très doué pour inciter les autres à lui ouvrir leur cœur, il nous a fallu plusieurs années avant d'apprendre à *le* connaître. Pourtant, nous sommes habituellement deux «commères» qui arrivent à déceler des détails intimes assez rapidement!

Norman a un passé fascinant. Durant des années, il a vécu outre-mer et travaillé comme infirmier post-opératoire auprès d'enfants ayant subi des chirurgies de palais fendu et de reconstruction faciale. Il a passé des années dans des pays en voie de développement, sans presque jamais revenir chez lui, aux États-Unis. Mais cela ne le perturbait pas, car il adorait s'occuper des enfants qui venaient vivre à l'hôpital pendant plusieurs mois à la fois avec leur famille. Il est devenu un membre de la famille pour plusieurs d'entre elles et se rendait parfois dans des régions éloignées pour vérifier les progrès de « ses enfants », quand il était en congé. Même si Norman avait un très petit salaire, il dépensait sa maigre rétribution durement gagnée pour acheter des produits de première nécessité que ces familles ne pouvaient pas s'offrir.

Au bout de neuf ans dans le domaine, Norman a été renvoyé chez lui par l'organisme qui l'avait embauché. Il nous a dit qu'il avait travaillé tellement fort que l'agence était d'avis qu'il ne prenait pas assez soin de lui-même. Ayant attrapé un parasite, dont il n'arrivait pas à se défaire, il avait perdu du poids et sa santé était en péril. À son retour aux États-Unis, il lui a fallu des mois pour se rétablir. La mère de Norman est morte entre temps et il s'est senti obligé de prendre soin de son père. Plutôt que de retourner à sa vie passée, il a reconnu qu'il avait besoin de se renflouer financièrement et de rester proche de sa famille.

Grâce à ses compétences en soins post-opératoires en chirurgie réparatrice, Norman a été engagé par un groupe de grands chirurgiens plasticiens qui possédaient plusieurs centres de chirurgie dans le sud de la Californie. Durant 15 ans, il a connu l'antithèse de ce qu'il avait vécu outre-mer. La plupart des gens qu'il réconfortait, baignait, changeait et soignait, avaient subi une chirurgie par choix. Mais cela n'a pas empêché Norman de donner entièrement de lui-même.

Norman nous a décrit ses tâches qui consistaient à servir une clientèle privée 24 heures sur 24 et à faire office de « concierge ». Il a nous a décrit comment il était à l'entière disposition des patients. S'il fallait aller chez le teinturier, Norman s'en chargeait. Si le chien devait sortir ou prendre un bain, Norman s'en occupait. Si une patiente devait appeler son directeur pour fixer l'heure d'une réunion, Norman y veillait. Il a même développé des compétences en coiffure et en maquillage!

Norman ne savait pas dire non et sentait qu'il avait la responsabilité de tout faire pour faciliter la vie des autres. Il y avait toujours beaucoup d'affection et de joie dans sa façon de prodiguer des soins et de dispenser ses services. Tandis qu'il nous racontait avec humour et sans se plaindre ces anecdotes parfois pénibles, nous commencions à nous demander s'il n'avait pas la faculté de marcher sur l'eau!

Un jour, Norman nous a invités à déjeuner. Nous étions curieux de savoir comment il était passé de «super infirmier» à chef de bureau. Avec une morosité qui ne lui ressemblait pas, il nous a confié comment il s'était effondré au bout de 12 ans à son poste. Il avait connu sa première crise de panique à 48 ans, ce qui l'avait apeuré et assommé. Au cours de l'année suivante, il avait eu des épisodes de panique et d'insomnie, si bien qu'il s'endormait au travail durant la journée. Grâce à un bon ami, il a trouvé un psychiatre qui l'a mis sous médication et lui a recommandé un congé de maladie.

Par la suite, il a fallu à Norman encore deux ans pour réaliser qu'il était épuisé professionnellement et qu'il devait quitter son emploi. Même si des amis lui avaient dit de ralentir, de cesser de faire les courses des patients, et de s'en tenir à son travail de soignant, Norman ne pensait pas pouvoir travailler autrement. Vers la fin de sa carrière de soins infirmiers en pratique privée, il a constaté qu'il n'avait plus un gramme de patience pour ses patients! Il ne les aimait plus, il ne voulait plus s'en occuper et il détestait leurs chiens ! Il s'étonnait lui-même, mais reconnaissait que quelque chose ne tournait pas rond… c'était *lui* !

Norman a abordé son nouvel emploi de chef de bureau avec l'espoir que le poste comportait des frontières bien établies. Après des années de crises de panique et de manque de sommeil, il a pris conscience qu'il ne s'était jamais posé de limites et qu'il avait permis à son entourage de profiter de son grand cœur. Norman nous a confié qu'il a encore tendance à en faire plus que nécessaire. Il reconnaît que lorsqu'il se porte volontaire pour organiser une levée de fonds ou rester de plus en plus tard au bureau pour régler des détails ou « mettre un peu d'ordre », il rentre épuisé à la maison. Il se couche alors sans dîner, sans rappeler un bon ami, et oublie de s'enquérir de son père.

Norman craignait que son vieux schéma de se sentir « indispensable » ne revienne, même au bureau. Il a plaisanté en disant qu'en fait, il nous avait invités à déjeuner pour obtenir des conseils gratuitement. Il se demandait vraiment comment faire pour cesser de se comporter comme un « bonasse » et un imbécile. Il savait à présent qu'il était très compétent dans ce qu'il faisait et très précieux pour l'agence. Alors, pourquoi lui était-il si difficile de mettre des limites, de prendre soin de lui-même, tout en poursuivant son travail utile sans se rendre à l'épuisement ?

Norman avait besoin d'un baromètre pour savoir quand son Altruisme se transformait en « abandon altruiste », c'est-à-dire lorsqu'il posait des gestes pour les autres au détriment de sa santé physique et mentale. Il lui fallait quelques indices pour l'aider à évaluer les conséquences de sa générosité. À son insu, il avait trouvé le parfait jargon : sa perception de « bonasse » qu'il avait de lui-même nous permettait de mieux saisir ce qu'il cherchait à dire. Nous avons plaisanté avec Norman et utilisé sa description de lui-même pour arriver à l'indice « bonasse » suivant, ou « jauge ».

Ne soyez pas un « bonasse » —
contrôlez votre jauge intérieure

Essayez de faire le même exercice que Norman.

Examinez

Prenez le temps d'examiner vraiment ce que vous avez fait pour les autres. Dans votre cahier, inscrivez trois en-têtes : « Aujourd'hui », « La semaine dernière » et « Le mois dernier », puis écrivez sous chacun ce qui suit :

- Tout travail bénévole que vous avez accompli, que ce soit assister au conseil d'administration d'un organisme à but non lucratif ou participer à la plantation d'arbres dans votre quartier.

- Toutes les petites faveurs que vous faites à vos amis.

- La charge supplémentaire de travail que vous avez acceptée au bureau, sans rémunération.

- Les tâches ménagères que vous avez accomplies spontanément et que vous n'avez pas déléguées à votre conjoint ou aux enfants.

- Les tâches que vous avez acceptées à la paroisse, à l'école ou à un organisme de quartier.

- L'argent que vous avez donné à un sans-abri.

- Un don à une œuvre caritative.

- Les articles que vous avez achetés des scouts ou d'autres enfants venus vous solliciter, sans en avoir besoin.

- Le temps que vous n'avez pas facturé, croyant que le client n'en avait pas les moyens.

- Toutes ces occasions où vous avez pris la plus petite portion ou les restes du dîner.

- La fois où vous avez donné toute votre monnaie à quelqu'un pour son parcomètre, alors qu'il ne vous en restait plus pour payer le vôtre.

- Votre participation à une banque de sang.

Faites un inventaire altruiste

Maintenant, examinez votre liste et posez-vous franchement les questions suivantes :

- En faites-vous moins que vous n'attendez de vous-même ? Trouvez-vous votre liste un peu trop maigre ? Est-ce qu'elle vous donne l'impression que vous êtes trop absorbé par vous-même et peu charitable ?

- En faites-vous plus que vous n'attendez de vous-même ? Votre liste trop généreuse vous

indique-t-elle clairement que vous êtes «bonasse»?
En faites-vous trop?

- Êtes-vous content du résultat? Votre vie est-elle
  bien équilibrée entre prendre soin de vous-
  même et des autres? En regardant votre liste,
  êtes-vous satisfait?

Faites une enquête sur vous-même

Il est maintenant temps de faire l'inventaire de vous-
même. Inscrivez la dernière fois que vous avez fait quelque
chose comme les exemples qui suivent, seulement pour le
plaisir ou pour votre propre satisfaction :

- Prendre un long déjeuner
- Appeler un ami pour faire une promenade
- Savourer un brandy et un cigare
- Vous faire faire les ongles ou vous offrir un massage
- Prendre un long week-end loin des enfants
- Lire un roman de pacotille
- Lancer quelques ballons de basket dans le panier
- Vous asseoir et écouter de la musique calmement
- Aller danser
- Manger un petit gâteau
- Visiter un musée
- Prendre un cours sur un sujet qui vous intéresse
- Vous acheter des fleurs

Considérez les preuves

Maintenant, examinez votre liste et posez-vous franchement les questions suivantes :

- En faites-vous moins que vous n'attendez de vous-même ? Votre vie est-elle remplie d'activités qui servent surtout les intérêts des autres ? Accordez-vous un nouveau sens au mot *désintéressé* ? Négligez-vous votre propre bien-être ? Votre vie manque-t-elle de plaisir ? À la fin de la journée, vous sentez-vous fatigué, épuisé ou en colère ?

- En faites-vous plus que vous n'attendez de vous-même ? Votre vie tourne-t-elle entièrement autour de vous-même ? Vos activités pèsent-elles plus du côté de la gratification personnelle ? Pensez-vous que chacun devrait être en mesure de prendre soin de lui-même ?

- Êtes-vous satisfait de ce que vous faites pour vous-même ? Après avoir fait ce que vous pouviez pour les autres, vous reste-t-il suffisamment d'énergie pour faire quelque chose d'agréable pour vous-même ? Êtes-vous capable de profiter de vos loisirs sans culpabilité, puisque vous avez donné ce que vous pouviez ?

Gardez les choses en perspective

Ce n'est pas égoïste de prendre soin de vous-même — c'est ce qui vous permettra de vous occuper des autres. Lorsque les agents de bord font leur petit boniment sur la sécurité, ils disent chaque fois que, le cas échéant, vous devez d'abord installer votre masque à oxygène avant de vous occuper de celui des autres. En effet, comment aider qui que ce soit si *vous* ne pouvez pas respirer ? C'est pareil dans la vie. Inspirez et adoptez une approche altruiste à l'égard de *vous-même* en premier lieu. Prenez soin de :

- Votre **corps**, en le nourrissant bien, en faisant de l'exercice, en jouant, en relaxant et en dormant pleinement ;

- Votre **esprit**, en vous disant que vous valez autant que le temps et les soins que vous donnez aux autres. Persuadez-vous qu'il n'est pas nécessaire d'être un paillasson pour être utile ;

- Vos **émotions**, en vous préservant dans vos relations personnelles à la maison et au travail ;

- Votre **âme**, en respectant votre créativité, votre sexualité et vos croyances.

Ensuite, quand vous aurez l'énergie et que vous serez détendu, continuez à faire du bien aux autres. Réfléchissez à la façon de donner de votre temps, de votre argent, de l'empathie et de l'énergie sans vous épuiser.

Lorsque Norman a fait cet exercice, il a commencé à réaliser, avec le recul, que son épuisement dû à l'Altruisme lui avait laissé un vide dans le cœur. Être infirmier lui manquait beaucoup. C'était également une grande perte pour ses patients éventuels et leurs familles, car il était très doué dans ce domaine.

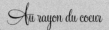

Un grand sondage à l'échelle nationale sur l'Altruisme et l'empathie, mené par le Centre de recherche de l'Université de Chicago, a révélé que ceux qui éprouvent des sentiments d'amour sincère à l'égard des gens en général sont plus susceptibles de vivre des relations amoureuses intenses. Les répondants qui ont obtenu beaucoup de points aux questions sur l'Altruisme étaient plus susceptibles de qualifier leur mariage en particulier, et leur vie en général de « très heureux ».

De plus, les gens mariés étaient plus susceptibles de se classer en tête concernant l'amour altruiste que ceux qui ne le sont pas. Quarante pour cent des individus mariés se sont classés dans la catégorie supérieure sur l'Altruisme, mais seulement 20 pour cent de ceux qui n'avaient jamais été mariés, et 26 à 28 pour cent des divorcés ou séparés, ont obtenu des résultats élevés dans ce domaine.

Si vous n'êtes toujours pas sûr que votre propension à l'Altruisme a dépassé la limite, lisez ceci :

Vous êtes peut-être trop bon si...

... vous vous servez toujours la partie trop cuite de la viande, le biscuit cassé ou le fruit pas assez mûr, mais ne prenez jamais le dernier chocolat, la plus large part de tarte, etc.

…vous donnez de l'argent à quiconque vous en demande — même si vous n'en avez pas les moyens — parce que vous ne voulez pas qu'on croie que vous êtes radin.

… vous êtes celui ou celle qu'on sollicite pour faire du bénévolat dans les manifestations le week-end ou les jours fériés.

… vous êtes constamment à la disposition des membres de votre famille et changez vos plans pour vous adapter aux leurs.

… vous passez votre temps à aider l'hôte ou l'hôtesse à servir et débarrasser, plutôt que de socialiser et d'avoir du plaisir.

… vous ne prenez pas l'emploi payant dont vous rêvez parce que cela vous semble « frivole » et que vous croyez préférable de faire quelque chose de « valable ».

… vous vous offrez quelque chose de beau que si vous pouvez également rapporter quelque chose aux enfants.

… vous ne pratiquez pas le hobby que vous aimez, car il n'a aucune valeur sociale.

… vous n'appréciez pas les gens qui semblent se défouler et avoir du plaisir tout simplement.

La récompense

Comme pour l'Humour, cette armure du cœur résulte de trop d'une bonne chose. Lorsque vous prenez trop soin de tout le monde autour de vous, il se peut que vous vous sentiez épuisé. Ironiquement, cela limite votre capacité à aider les autres ainsi que vous-même. Vous n'avez alors plus le temps ni l'énergie pour vous engager davantage professionnellement ou personnellement.

Si vous parvenez à maîtriser votre propension à l'Altruisme, ceci peut enrichir votre vie considérablement. Lorsque ce mécanisme de défense sera remis à son juste niveau, vous finirez par vous sentir plus satisfait et comblé, sans colère ni ressentiment. En prime, quand vous pratiquez la générosité d'âme et de gestes, tout en restant conscient de vos limites, vous risquez moins de connaître la dépression.

Chapitre 10

CULTIVEZ LA CONSCIENCE : CALMEZ L'*AGRESSION PASSIVE*

Définition

Agression passive : Sentiments de ressentiment, d'hostilité ou d'agressivité à l'égard d'autrui exprimés de manière indirecte, voilée ou maladroite.

Vous savez maintenant que nous vivons à Los Angeles. Nos vies, nos familles respectives et notre pratique en psychothérapie se situent au cœur même de cette ville tentaculaire.

Ces tentacules, ce sont nos autoroutes. Beaucoup de gens y passent énormément de temps, car ils consacrent des heures pénibles à faire le trajet entre le travail et leur domicile sans pouvoir y échapper, même quand ils sortent pour se divertir le week-end. Rien d'étonnant à ce que nous, les habitants de L.A., soyons obsédés par nos véhicules. Bien qu'un sondage indique que la plupart des gens conservent leur voiture durant neuf ans et demi, ce n'est certainement pas notre cas, à nous !

Non seulement nous voulons le véhicule le plus récent et le plus tendance, mais nous désirons également les gadgets les plus perfectionnés — et nous sommes pour ainsi dire certains que d'ici 2020, votre voiture pourra vous cuisiner des pâtes pendant que vous attendrez à une intersection. Entre temps, la technologie directionnelle est l'attirail du jour. Pour se sentir plus en sécurité, moins seuls et mieux en mesure de circuler dans cette grande bête tentaculaire, de nombreux habitants de Los Angeles équipent leur voiture d'un GPS.

Toutefois, aussi perfectionné soit-il, ce gadget servant à vous déplacer dans ce dédale n'est pas infaillible. Les renseignements qu'il fournit sont parfois erronés ou alors il vous indique un itinéraire qui se révèle plus long que nécessaire. Il est surprenant de constater que vous avez renoncé à vos propres capacités et à votre instinct au profit de cette machine. Vous vous en remettez au GPS jusqu'à ce que vous preniez conscience que l'itinéraire qu'il vous indique est trop long et que vous vous demandiez *Mais où diable suis-je rendu ?* Vous avez permis à un objet de penser à votre place, et vous n'êtes plus un participant actif de votre propre voyage.

À la manière de ces outils de navigation, la dernière armure du cœur dont nous allons parler, l'*Agression passive*, peut sembler un réconfort en période de tumulte. Au premier abord, le gadget et le mécanisme de défense sont tous deux utiles pour vous éloigner de la détresse dans l'immédiat. Le GPS diminue votre anxiété quand vous essayez de circuler dans les rues complexes d'une ville. L'Agression passive vous éloigne des sentiments complexes de colère que vous ne pouvez pas concevoir d'affronter.

Les deux méthodes vous soulagent du fait que vous n'êtes pas obligé d'être en parfait contrôle, ni personnellement responsable des conséquences éventuelles. La différence réside dans le fait que l'outil de navigation finira bien par vous amener à destination, mais *pas* le mécanisme d'Agression passive.

Esquives

L'Agression passive est l'un des mécanismes de défense qui font désormais partie du vocabulaire quotidien. Songez au nombre de fois où vous avez entendu quelqu'un dire : « Il est tellement passif-agressif ! » ou « Elle n'est qu'une passive-agressive ! » Vous l'avez peut-être déjà dit vous-même au sujet de quelqu'un. Pourquoi ? Que vous avait-il donc fait pour mériter une telle description peu flatteuse ? Fort probablement, vous aviez déjà expérimenté le même genre de comportement de sa part et vous ne le supportez plus.

Par exemple :

— Vous projetez de dîner avec une amie avec laquelle vous vous êtes fâchée récemment. Une heure avant votre rencontre au restaurant, elle laisse un message pour vous informer qu'elle ne pourra pas y être. Ce n'est pas la première fois qu'elle vous laisse en rade après une dispute.

— Vous avez enfin acheté votre premier appartement après avoir économisé durant de nombreuses années pour la mise de fond. Vous invitez votre sœur et elle déclare : « Eh bien, un jour, tu pourras obtenir un bon prix pour ce charmant petit endroit et acheter une belle maison dans un quartier convenable. »

— Et que dire de la méchante lettre anonyme que vous avez reçue d'un voisin qui vous accuse de ne pas ramasser les crottes de votre chien? Vous restez coi et ne savez pas comment réagir à cette attaque injuste.

— Votre belle-mère vient dîner et elle se met «gentiment» à votre place, en vous faisant remarquer qu'il n'y a rien d'étonnant à ce que vous ayez du mal à entretenir votre maison puisque vous travaillez tellement fort.

— Votre mari promet de rentrer tous les soirs à 18 h 30 et il n'arrive qu'à 20 h ou 21 h régulièrement. Lorsque vous lui demandez d'essayer de revenir à temps pour un dîner spécial, il répond «bien sûr», mais arrive une fois de plus à 20 h en prétextant toutes sortes d'excuses.

Ces actes et ces réactions sont des exemples très nets d'Agression passive. Tous ces gens expriment des sentiments malveillants dont ils ont conscience ou pas. D'où que provienne leur hostilité — l'envie, la peur d'être exclu ou l'inquiétude de se rapprocher de trop près ou de dépendre de quelqu'un — les individus passifs-agressifs ne peuvent ou ne veulent pas mettre au jour ces sentiments difficiles qu'ils éprouvent. Ils sont incapables d'exprimer directement et gentiment leurs vérités émotionnelles. Ceux qui comptent sur cette armure ressentent de l'aversion, du remords, du doute et du dégoût d'eux-mêmes. Ils se sentent seuls et déconnectés et se demandent presque toujours s'ils sont vraiment aimés.

À un moment ou l'autre, nous avons tous du mal avec ces vérités émotionnelles qui résonnent au-dedans. Être direct et calmement provocateur avec les autres quand vous vous sentez menacé ou déçu, ou encore parce que vos attentes face à eux ont été ébranlées, n'est pas chose facile pour qui que ce soit. Mais si vous avez l'habitude de ne pas affronter vos émotions et êtes inquiet des conséquences de votre colère, vous trouverez peut-être plus difficile de prendre conscience de vos sentiments. L'Agression passive devient alors moins une erreur occasionnelle et davantage une façon d'être.

Il est plus facile d'identifier ce mécanisme de défense chez les autres que chez vous-même. (Mais vous ne perdez rien pour attendre : vous le découvrirez tôt ou tard !) Cela commence par la personne passive-agressive qui vous attaque subtilement en laissant tomber quelques phrases assassines. Ou alors celle qui est généralement en retard ou distraite et qui fait comme si *vous* aviez le problème. Vous sentez que quelque chose est de travers, mais sans savoir exactement quoi. Avec le temps, il vous reste un goût amer dans la bouche après la rencontre ou vous ressentez une sorte de colère qui vous titille. Vous détectez plus clairement l'Agression passive de l'autre. Vous vous sentez sur la défensive et vous vous éloignez de cette personne. Vous avez été victime du mécanisme de défense qu'on appelle l'*Agression passive*.

Médecin, guéris-toi toi-même

Récemment, nous avons tous les deux été invités dans un nouveau centre de traitement de la toxicomanie à Malibu. Nous étions enthousiastes à la perspective d'un délicieux dîner et de passer du temps à reprendre contact avec des collègues. La soirée s'est déroulée sur un ton léger, agrémentée de quelques conversations professionnelles. Mais la plus grande partie portait sur la nourriture, les régimes et l'exercice (après tout, nous étions bel et bien à

Malibu!) Nous étions à table en compagnie de six autres thérapeutes, dont deux vivaient ensemble depuis plus de 13 ans. La femme avait récemment perdu environ 27 kilos et nous l'avons complimentée sur son apparence saine et sa beauté. Pleine d'enthousiasme et d'espoir, elle nous a expliqué en détail le régime qu'elle avait suivi depuis sept mois, ainsi que les cours Pilates auxquels elle participait.

Soudainement, sans crier gare, son compagnon a lancé : « Je ne comprends pas comment tu peux suivre ce régime. Moi, je ferais quelque chose qui me permette d'enfiler mes vêtements d'autrefois beaucoup plus rapidement. Et Pilates n'est-ce pas une forme d'étirement? … Je suppose que moi, je fais *vraiment* de l'exercice. » Puis, il a ajouté, comme si ce n'était déjà pas assez : « Tout le monde reprend du poids par la suite, de toute façon ».

Le visage de sa compagne s'est défait sous nos yeux et sa peau a soudain perdu son éclat. Nous avons senti de la tension dans l'air. Quand nous en avons parlé le lendemain au bureau, nous nous sommes confié la sorte de nausée que nous avons ressentie à ce moment. À cause de l'Agression passive, notre confort et notre joie du départ s'étaient transformés en un besoin de quitter les lieux le plus rapidement possible. Que s'était-il donc passé?

On ne peut que présumer que notre amie qui avait perdu 27 kg avait dû être stupéfaite et profondément blessée. Elle est restée sans voix, incapable de se défendre. Vous vous demandez sans doute pourquoi elle n'a pas simplement envoyé paître son compagnon, mais sachez que ce n'est pas si facile. Comme c'est le cas chaque fois que quelqu'un subit une agression passive, il y avait plusieurs éléments en présence : l'hostilité de son compagnon l'a déstabilisée. En même temps, elle a dû ressentir sa colère et craint de s'y confronter. Elle savait probablement que si elle disait quelque chose pour se défendre, il aurait fait marche arrière et peut-être répondu : «Qu'y a-t-il ? Tu es tellement sensible. Je ne pense qu'à tes intérêts... et patati et patata». Comme son agression était sournoise, elle a eu du mal à réagir. C'était comme un fantôme : pas de substance, trop difficile à saisir.

Tous les convives ont pris leurs distances de cet homme. L'ironie, c'est que nous étions là pour reprendre contact et, à cause de cet épisode désagréable, nous nous sommes sentis complètement déconnectés. Par-dessus tout, nous ne pouvons qu'imaginer à quel point notre amie a dû s'éloigner de son compagnon sur le plan affectif.

Mais que dire de ce conjoint passif-agressif ? Qu'a-t-il ressenti, lui ? Et qu'est-ce qui l'a incité à attaquer ainsi sa compagne ? Il a dû éprouver différentes émotions (se sentir *comme un idiot*, entre autres, espérons-le) ; sauf qu'il ne pouvait pas s'en rendre compte à ce moment-là. Alors, comme nous le connaissions depuis des années et que nous sommes des thérapeutes, nous prendrons la liberté de vous dire ce qu'il ressentait.

Nous savons qu'il enviait sa compagne d'avoir perdu du poids, comme les autres convives. Nous savions par ailleurs que durant toutes ces dernières années, sa conjointe avait refusé de l'épouser. Il craignait parfois qu'elle ne le quitte pour un autre homme. Maintenant qu'elle avait plus belle apparence, qu'elle était admirée et se sentait bien dans sa peau, il a dû sentir la menace grandissante. Il a dû se demander : *Aura-t-elle encore besoin de moi ? Tombera-t-elle amoureuse de quelqu'un d'autre ? Est-elle restée avec moi uniquement en attendant de trouver mieux ?*

Toute cette insécurité et sa haine de lui-même ont explosé dans une cascade d'agression passive. Sa colère contre elle, et certainement contre lui-même également, était inconsciente. C'est un formidable thérapeute, mais personne ne peut pratiquer une chirurgie du cerveau sur lui-même. Rappelez-vous que nous avons dit qu'il est plus facile de ressentir l'agression passive de quelqu'un d'autre plutôt que la sienne. Cet exemple est idéal, surtout parce qu'il s'agit de quelqu'un de futé, conscient, et habituellement empathique. Ses blessures et ses peurs l'ont transformé en un individu passivement venimeux dès que son seuil a été atteint.

Au rayon du cœur

Vous faut-il une autre raison pour apprendre à gérer ouvertement votre colère ? Une étude à long terme effectuée par l'Université du Michigan suggère qu'une bonne dispute peut sauver votre mariage, mais aussi votre vie ! Il semble que si le mari et l'épouse répriment leur colère l'un contre l'autre lorsqu'ils se sentent attaqués, une mort prématurée survient deux fois plus souvent que chez les couples où l'un ou les deux partenaires expriment leur colère et résolvent le conflit. Les chercheurs ont conclu que si les deux partenaires ont tendance à enfouir leur colère et à la ruminer, éprouvent du ressentiment et évitent de résoudre le problème, ils deviennent une malheureuse statistique.

À cette occasion, nous étions aux premières loges pour assister à un comportement d'agression passive, ainsi qu'à ses effets sur la victime. Dans le cas du prochain exemple, nous n'avons eu qu'une version des faits, celle de Patty. Et elle a utilisé l'Agression passive comme si sa vie en dépendait.

L'*effet de diffusion*

Avoir une sœur, c'est merveilleux. Mais cela peut aussi être l'enfer, parfois. Demandez à Patty, une patiente de 26 ans qui, au départ, est venue en consultation parce qu'elle avait horreur de son travail, détestait les sorties galantes et se sentait constamment agacée par les autres. Elle venait à notre bureau depuis cinq mois et combattait une dépression « légère » depuis aussi longtemps qu'elle pouvait se rappeler.

Bien que Patty ait entrepris sa carrière avec les plus grands espoirs de devenir la meilleure thérapeute physique, depuis les deux dernières années, elle avait commencé à détester ses patients et n'avait plus envie de les aider à soulager leur douleur. Pour empirer les choses, sa sœur de 24 ans, Rachel, l'avait récemment laissée tomber. Après avoir décidé de quitter Minneapolis pour Los Angeles deux ans auparavant, les deux sœurs avaient emménagé dans un superbe appartement. Rachel essayait d'écrire des scénarios et versait à sa sœur la moitié du loyer en travaillant comme serveuse. Sa vie sociale était très animée et changeait constamment. Elle fréquentait les amis qu'elle se faisait en travaillant dans un restaurant très à la mode.

Rachel conviait souvent sa sœur dans des soirées, tard le soir, avec sa bande. Même si Patty s'y rendait avec plaisir et qu'elle le voyait comme un geste positif et affectueux de la part de sa sœur ; pourtant, en consultation, elle « râlait » constamment sur la soirée. Elle trouvait à redire sur le restaurant, les plats, certaines de ces personnes, ou sa sœur. Et si Rachel sortait sans l'inviter, Patty râlait également.

Les sœurs avaient toujours été proches depuis l'enfance, et Patty faisait souvent remarquer que les gens qui les rencontraient les croyaient jumelles. Mais Rachel n'avait pas réagi aux demandes récentes de Patty qui souhaitait parler à leur propriétaire au sujet du renouvellement de leur bail d'appartement.

Nous avons interrogé Patty concernant l'hésitation de Rachel à l'égard du renouvellement du bail. Elle a répondu qu'elle n'en avait pas la moindre idée. Au bout de quelques séances, où Patty s'est plainte de l'immaturité et de l'irresponsabilité de sa sœur, nous l'avons mise au défi de réfléchir aux véritables raisons pour lesquelles Rachel ne s'impliquait pas. Rien ne prouvait que sa jeune sœur soit irresponsable : elle avait toujours respecté ses obligations. Nous nous sommes demandé tout haut s'il y avait un lien entre le retrait de Rachel et l'attitude négative de Patty.

Sans hésiter et avec un large sourire, Patty a répondu nerveusement : «Je pense que je devrais aller consulter des thérapeutes qui savent vraiment de quoi ils parlent».

Nous avons présumé que Rachel s'était souvent sentie déboussolée par sa sœur, de la même façon que nous venions de l'être. Nous lui avons exposé d'autres situations que nous avions observées où elle avait dit quelque chose tout en voulant dire autre chose. Dans un premier temps, Patty est restée sans voix et semblait ébranlée. Mais ce qu'elle a découvert par la suite l'a fait pleurer. Elle a commencé à parler de Rachel, d'elle-même et de leur enfance avec leurs parents. Nous savions que nous tenions un filon !

Nous avions blessé Patty. Elle était fâchée, mais conservait son petit sourire. Elle a eu momentanément l'impression que nous avions pris le parti de sa sœur et perdu de vue de quelle façon elle avait été victime du comportement de Rachel. Pourtant, Patty était en mesure de faire le lien avec ce que nous disions. Ensemble, nous avons lentement démantelé la manière dont sa famille avait traité leurs propres déceptions et ressentiments.

Dans le monde de Patty et de Rachel, la rage et la frustration ne pouvaient s'exprimer ouvertement. Le père ne tolérait ni le bruit ni le chaos. Patty se rappelait que sa mère faisait taire ses filles dès leur plus jeune âge, quand papa était présent. Elle a décrit un incident où elle et Rachel tentaient de convaincre leur mère de leur acheter des robes neuves pour la danse de la Saint-Valentin à l'école. Plus elles parlaient fort, plus leur mère devenait sombre. À un certain point de l'affrontement à sens unique, le père est rentré à la maison. Il est resté figé et les a fixées du regard. Puis, tandis que leur mère semblait apeurée, le père s'est précipité dans sa chambre et a fermé la porte. Personne n'a plus jamais parlé de l'incident, mais ce fut la seule fois où Patty et Rachel ont reçu l'ordre «silencieux» de se taire.

Leurs parents leur avaient fait comprendre qu'il était inacceptable que les membres de la famille s'expriment, surtout quand il s'agissait de chagrin ou de colère. Patty et Rachel n'avaient jamais vu leur mère et leur père se confronter directement ou être fâchés l'un contre l'autre. Quand elles allaient chez des copines, elles étaient souvent surprises d'observer les parents de celles-ci se fâcher ou se quereller devant les enfants.

Patty et Rachel tenaient en haute estime l'apparence calme de leurs parents. Pourtant, lorsque nous avons demandé à Patty s'il y avait de la colère à la maison, elle a répondu : «Non, mais je pense que nous ressentions beaucoup de tension.» Elle se souvient que lorsque la tension montait, elle et Rachel se prenaient par la taille pour se réconforter contre la placide tyrannie de leur père.

À la maison, il y avait également des règles tacites au sujet de la façon dont les femmes devaient se comporter.

Être une femme distinguée signifiait ne pas élever la voix et certainement ne jamais manifester son mécontentement contre quelqu'un. Cela signifiait, par ailleurs, de faire en sorte que tout soit agréable en tout temps. La maman donnait l'exemple en jouant le «chat du Cheshire*». Plus loin dans la thérapie, Patty a éclaté de rire quand nous lui avons dit que sourire de manière aussi forcée était mieux que le Botox pour prévenir les rides et les grimaces, et que cela risquait de lui imprimer un «joli visage» permanent!

Élevées dans un milieu où elles n'avaient pas de modèles de rôle quant à la manière de faire face aux émotions désagréables et troublantes, les sœurs n'avaient jamais appris à résoudre les différences entre elles. Pire, on les avait découragées de prêter attention à ce genre de sentiments «honteux». Ces filles ont alors été obligées de s'en remettre à l'Agression passive, le mécanisme de défense approprié à la situation.

Avant que Patty puisse avoir une conversation décente à cœur ouvert avec sa sœur, elle devait d'abord se familiariser avec toute la gamme des émotions qu'elle avait tenté d'éviter. Elle a rapidement accepté l'idée qu'elle était fâchée contre Rachel relativement au renouvellement du bail. Nous lui avons demandé de but en blanc de décrire comment elle exprimait sa colère contre Rachel. Elle a constaté qu'elle ne disait pas à sa sœur à quel point elle était contrariée, et elle a compris qu'*elle-même* ne se permettait pas d'entrer en contact avec ces émotions. En même temps qu'elle nous avait parlé négativement de Rachel, elle ignorait sa sœur et trouvait des excuses pour ne pas socialiser — ni même se retrouver dans la même pièce qu'elle.

Nous avons rappelé à Patty qu'elle avait fait exploser une «bombe souriante» et l'avons encouragée à prendre conscience des «bombes» qu'elle balançait à Rachel et à ses amies. Notre travail consistait à l'aider à vivre l'inconfort

---

* N.d.T. : Référence au chat dans *Alice au pays des Merveilles* qui avait la faculté d'apparaître et de disparaître.

qu'elle ressentait dans sa tête et dans son corps lorsqu'elle a découvert sa colère. Elle devait accepter le fait que son sentiment d'irritation était normal et apprendre que la colère n'est pas nécessairement dangereuse. Autrement dit, elle devait commencer à en prendre conscience.

Il y a une différence entre se sentir en colère et manifester cette colère.

Patty a travaillé fort avec nous pour se sensibiliser aux émotions qu'elle avait cachées en elle pendant toutes ces années et en prendre conscience.

Sésame, ouvre-toi

Si vous retrouvez des similitudes avec Patty, votre tâche consiste d'abord à déterrer la colère qui fomente déjà en vous, puis à comprendre pourquoi vous avez tout fait pour vous en cacher et, finalement, arriver à coexister aisément avec elle. Pour accomplir cette mission difficile, suivez notre approche en trois temps.

1. Cultivez la conscientisation

Il est essentiel de nourrir un vif intérêt pour les humeurs et les réactions qui se situent sous la surface. Quand il s'agit d'Agression passive, être conscient de votre colère et de votre blessure peut signifier la différence entre utiliser ce mécanisme mesquin et avoir des liens pleinement authentiques et satisfaisants. À cette fin, nous vous exhortons de cultiver la conscientisation.

Au cours des dix dernières années, les anciennes pratiques bouddhistes et l'art de la méditation ont commencé à se répandre, même dans la psychothérapie tradition-nelle modérée. Bien qu'il y ait 40 ans que la méditation transcendantale ait fait une entrée remarquée quand les Beatles et autres icônes du rock des années 1960 nous l'ont fait connaître, celle-ci est restée longtemps en marge de la psychothérapie courante. Mais aujourd'hui, les pratiques de méditation qui encouragent la conscientisation et l'art de la conscience trouvent leur utilité dans notre profession et dans la culture en général.

La société occidentale moderne déborde de richesses. C'est à la fois un bienfait et un fléau. Nous sommes à une étape où nous luttons entre le «trop-plein» de tout — trop de gadgets, trop de choix et trop de médicaments qui pro-mettent de tout régler — sans compter une surabondance de maux de toutes sortes : trop de matérialisme, trop de dépres-sions, trop d'anxiété, trop de technologies qui nous isolent des autres êtres humains, et trop qui reste à faire. (Et certains ajouteraient, trop de livres de croissance personnelle pour nous dire comment régler nos problèmes!) Ce monde inondé et engorgé nous empêche d'être attentifs à nos propres émo-tions, et c'est une excuse suffisante pour nous en protéger.

De plus, si l'Agression passive est notre mécanisme de défense, il ne peut qu'être renforcé par des modes indirects de communication — comme les messages texte, les cour-riels et les sites de réseaux sur le Web — que nous utilisons tous à divers degrés. Même avec ces pseudo-contacts, des relations significatives manquent toujours, et peut-être plus que jamais.

La personne la plus importante qui vaut la peine d'être connue, et avec qui être en contact, c'est *vous*. Et la seule façon de bien vous connaître vous-même, et par la suite vous lier aux autres, consiste à faire taire le bruit autour de vous. Dans le même temps, vous devez accepter les pensées, la colère, les joies, les obsessions et les critiques qui surgissent dans votre esprit, sans les juger. Ce n'est que de cette façon que vous commencerez réellement à vous accepter vous-même, avec tous vos défauts. La conscience représente un parcours formidable vers un soi plus harmonieux.

Alors, comment atteindre cet état de conscience? Ça semble simple, mais ce n'est pas facile. C'est un processus lent et régulier. À la base, il faut établir un moment quotidien où vous vous assoirez seul pendant 10 à 15 minutes. Idéalement, il faudrait trouver un endroit dans votre maison, ou dehors dans la nature, où vous ne serez pas dérangé. Vous pouvez avoir ce que vous voulez dans votre sanctuaire. Il peut être totalement austère, sans rien pour vous distraire. En revanche, vous pouvez décider d'y installer des coussins, des bougies et de l'encens afin de favoriser la détente et expérimenter le calme. Certaines personnes trouvent qu'une musique douce et répétitive aide le processus.

Le principe consiste à libérer votre esprit et à porter attention à votre respiration, à votre corps et à vos sens. N'essayez pas de stopper les pensées ou les sensations qui se bousculent dans votre esprit; laissez-les simplement être là sans chercher à les écarter. Si vous réalisez que vous êtes en train de préparer le repas du soir mentalement, vous trouverez utile de vous concentrer sur quelque chose qui captera votre attention — comme la flamme d'une bougie ou une simple image mentale, comme une fleur ou une étoile — à laquelle vous pourrez revenir au besoin. Il est également possible d'utiliser un *mantra* (un mot ou une phrase) pour vous aider à revenir à un état de calme lorsque votre esprit erre. Servez-vous d'exemples courants — tels que *Un* ou *Paix* — ou alors de quelque chose qui a un sens dans votre système de croyances. Ces techniques vous aideront à vous ramener doucement à votre centre et à la conscience de votre respiration.

Éventuellement, l'expérience de simplement «être» — en laissant simplement passer les pensées qui surgissent — deviendra plus facile. Et les bienfaits de cette pratique quotidienne de conscience dureront plus longtemps que les 15 minutes que vous y consacrerez, car ils s'intégreront dans votre vie. Imaginez que vous acceptiez d'être en colère contre votre sœur, votre mari ou votre enfant et que vous vous donniez la permission d'éprouver ce sentiment? Vous n'auriez plus besoin de le manifester, de le cacher, ni de blesser l'autre personne et vous-même en faisant semblant que votre émotion n'existe pas. La conscientisation est un grand pas qui permet de ne pas retomber dans l'Agression passive.

Si vous avez envie d'explorer davantage le sujet de la conscientisation et d'obtenir des outils supplémentaires pour la cultiver, consultez les nombreux livres, CD et DVD consacrés à cette pratique. Nous vous recommandons le livre de Joan Z. Borysenko *Dire oui au changement*, ainsi que le CD qui l'accompagne.

2. Découvrez les origines

Il est essentiel d'explorer vos origines familiales, et les autres personnes qui ont eu une influence marquante sur vous, afin de déceler les racines responsables de votre colère. Pour chaque armure du cœur, il vous faut comprendre l'influence de votre passé sur le présent si vous voulez saisir de quoi il s'agit et travailler à atténuer ses effets sur votre vie. L'Agression passive a des origines pas mal nettes qui impliquent les relations familiales. Voici quelques questions susceptibles de vous aider à déterminer si, dans votre famille, vous avez appris à faire face à la colère ou aux blessures de manière sournoise ou directe :

- Qu'est-ce qui avait tendance à causer des crises de colère dans votre famille ?

- De quelle façon vos parents dirigeaient-ils leur colère l'un contre l'autre, contre vous, et vos frères et sœurs ?

- Qui dans votre famille établissait les règles quant à la façon de traiter cette émotion pour chacun ?

- Est-ce que les membres de votre famille avaient tendance à décharger leur colère sur-le-champ, puis à passer à autre chose ?

- Est-ce qu'ils masquaient leur rage, la laissant mijoter et couver, pour l'exprimer de façon passive et agressive un peu plus tard ?

- Quand quelqu'un manifestait sa colère, comment les autres membres de la famille réagissaient-ils ?

- Quand quelqu'un sortait de ses gonds, qu'est-ce qu'il disait et comment réagissait-il ?

- Est-ce que son comportement détendait l'atmosphère ou enflammait une situation que chacun attisait ensuite ?

- Est-ce qu'un membre de la famille vous harcelait souvent ou suscitait votre colère ?

- Exprimez-vous aujourd'hui votre colère de la même façon que vous le faisiez quand vous viviez chez vos parents ?

- Avez-vous été exposé à différentes manifestations de colère de la part de collègues, d'amis ou de membres de la famille de votre partenaire ?

- Si vous pouviez traiter vos sentiments de colère autrement, quelle serait cette autre façon ?

3. Apprenez à coexister

Très bien, vous travaillez maintenant à développer la conscience et, en conséquence, vous maîtrisez mieux la multitude de pensées et d'émotions qui existent en vous. Vous êtes également plus au fait des origines de votre colère, de vos blessures et de votre ressentiment. Parions que vous pensez que tous ces sentiments devraient maintenant disparaître ! Pas si vite ! Ils sont coriaces. Nous ne connaissons personne qui soit serein au point de ne jamais se mettre dans tous ses états !

Nous n'avons pas pour ambition que vous n'éprouviez plus de colère. Le but consiste à vous amener à résister et à prendre possession de votre colère, de coexister avec elle, et à ne pas laisser les ressentiments inconscients se répandre sournoisement et vous empoisonner la vie et celle de vos proches. C'est la façon dont vous vivez avec votre colère, ce que vous en faites, et votre aptitude à la gérer plutôt qu'à la laisser vous gouverner qui représente la mesure de votre zone de confort face à ces émotions sensibles.

Il y a eu un renversement dans la façon de traiter la colère directement, et non pas de manière passive-agressive, ces dernières années. Autrefois, on préconisait de s'en prendre à un oreiller ou de frapper quelque chose pour décharger sa rage. Aujourd'hui, on croit que ces techniques violentes ne font qu'alimenter la colère. Un moyen plus sain consiste à trouver des activités qui calmeront votre cœur blessé. Vous pouvez certainement adopter la technique physique, mais faites-en alors une activité joyeuse : patiner avec de la musique, faire de l'équitation, des longueurs de piscine ou de la course à pied dans la nature. Vous pourriez également regarder un film très rigolo, pleurer un bon coup, ou lire un ouvrage inspirant. Nous avons par ailleurs découvert que les cours d'affirmation de soi sont utiles à beaucoup de gens.

Le moyen le plus efficace de faire face à votre colère et douleur est d'en parler ouvertement avec des amis et des collègues empathiques et leur permettre de vous consoler.

Voici une chance de plus de découvrir si l'Agression passive est votre mécanisme de défense. Notez mentalement ce qui pourrait, à votre avis, s'appliquer à vous.

L'Agression passive est peut-être votre mécanisme de défense si...

... vous décidez que vous n'avez pas le temps d'aller chez le teinturier prendre le costume dont votre mari a besoin pour un voyage d'affaires, parce qu'il ne peut pas vous emmener.

… vous offrez à votre amie, qui tente de perdre du poids, une boîte de truffes au chocolat pour son anniversaire, car sa diète a tellement réussi qu'elle mérite une petite gâterie.

… vous êtes en retard à toutes les réunions de votre association de co-propriétaires, ce qui ne se produirait pas si on *vous* avait élue présidente et que vous aviez le pouvoir d'établir les heures de réunion.

… pour les demoiselles d'honneur, vous choisissez des robes garnies d'énormes nœuds sur le derrière; elles sont si maigres qu'elles ne pourront pas s'échapper avec ça.

… vous acceptez volontiers de travailler des heures supplémentaires, alors que vous n'en avez pas du tout envie, puis vous ne terminez pas le travail — en effet, comment pourrait-on s'en offusquer alors que vous avez été si obligeante?

… vous dites à votre meilleure amie qu'elle a raison au sujet de quelque chose, alors que vous savez qu'elle a tort et qu'elle se mettra dans l'embarras lorsqu'elle répétera son opinion à quelqu'un d'autre.

… vous corrigez une erreur de grammaire de votre mari en public, parce que, bien entendu, vous ne voudriez pas qu'il ait l'air idiot.

… vous ne rappelez pas à votre patronne une échéance qu'elle a manifestement oubliée, puis vous sympathisez avec elle quand elle en subit les conséquences.

… vous laissez entendre que vous inviterez quelqu'un à vous accompagner à une réception, puis vous ne le faites pas et feignez la surprise que cette personne ait eu cette attente.

La récompense

La colère et les blessures non résolues trouvent toujours le moyen de refaire surface — comme l'acidité gastrique après un mauvais repas — et souvent au moment où on s'y attend le moins. Et tout comme l'indigestion, cela laisse un goût amer et donne l'impression que vous allez vous étouffer. Lorsque ces sentiments font surface sous forme d'Agression passive, ils peuvent causer de gros dégâts dans vos relations avec les autres. Esquiver vos émotions ne peut qu'entraîner des effets néfastes sur votre entourage, donner l'impression que vous êtes un pauvre individu — à vos propres yeux et à ceux des autres — et éviter de résoudre le véritable problème.

Lorsque vous cesser d'utiliser l'Agression passive afin de vous tenir à distance de vous-même et des autres, alors le contentement, la satisfaction et la bienveillance seront à votre portée. Tout dépend donc de vous. La ligne droite est toujours le chemin le plus court. Lorsque vous déciderez de faire la paix avec vos sentiments, vous résoudrez vos problèmes : soit ceux de votre propre cœur, soit en vous réconciliant avec la personne qui vous cause du souci. Ramener la colère à la surface, la mettre au jour, et y faire face de façon appropriée permet à la confiance de se bâtir et augmente vos chances de développer des relations riches et profondes.

Chapitre 11

DITES LES CHOSES COMME ELLES SONT

Les « histoires vécues » sont une tradition orale qui vient d'Hawaï et que nous aimons beaucoup. Nous terminons le livre avec un chapitre sur celles de certaines célébrités et personnalités du monde du spectacle afin de vous démontrer que raconter votre propre histoire représente un bon moyen de trouver les racines de vos mécanismes de défense personnels.

On dit que la seule différence entre une ornière et une tombe, c'est la profondeur du trou. Certains d'entre nous passons des années dans des ornières que nous avons nous-mêmes creusées à l'aide de nos mécanismes de défense. Un bon moyen de commencer à rompre les limites que nous nous sommes nous-mêmes imposées consiste à les reconnaître pour ce qu'elles sont : des routines de défense adoptées dès l'enfance et qui ne changent pas jusqu'à ce que nous en prenions conscience. Maintenant que vous avez lu cet ouvrage, vous avez une idée des armures que vous utilisez régulièrement. Raconter votre histoire à un ami ou à un membre de la famille réceptif, ou encore en formant un groupe d'«histoires vécues» peut vous aider à comprendre davantage comment vos mécanismes inconscients vous empêchent de vivre pleinement sur les plans affectif, social et intellectuel.

Entreprendre de raconter votre histoire peut sembler une tâche énorme et surtout intimidante au départ. Plutôt que d'essayer de la relater au complet depuis la naissance, commencez par un événement important de votre vie ou par une relation avec une personne qui vous a marqué. Vous comprendrez mieux le principe en lisant les histoires vécues racontées dans le présent chapitre.

Si vous avez du mal à commencer, faites d'abord l'exercice de relaxation que nous suggérons au chapitre 1 ou la technique de prise de conscience du dernier chapitre.

Lorsque vous raconterez votre histoire aux autres, établissez certaines règles. On ne doit pas vous interrompre, ni vous critiquer ni vous juger. Et surtout, vous ne devez pas vous sentir obligé de révéler quoi que ce soit dont vous ne voulez pas parler. Ne tentez pas non plus d'être grammaticalement correct dans vos propos et ne vous inquiétez pas de votre «style». Il suffit de parler de façon simple et naturelle.

Soyez prêt à écouter les histoires des autres, également. Vous pourriez découvrir des similitudes; il se peut aussi que les histoires des autres vous inspirent ou vous touchent d'une manière inattendue. Par ailleurs, il arrive qu'il soit plus facile d'identifier vos armures personnelles en les reconnaissant chez les autres. En effet, vous vous sentez peut-être parfois contrarié ou en colère contre ceux qui reflètent des traits et des comportements que vous n'aimez pas en vous-même.

Bien que de parler de votre histoire avec un interlocuteur empathique, dans un contexte rassurant, soit une expérience enrichissante susceptible de vous aider à fouiller dans vos mécanismes de défense, il se peut que vous ne soyez pas prêt à franchir cette étape. L'autre option consiste à écrire votre histoire dans un journal ou à l'ordinateur, puis de la raconter quand vous serez prêt. Nous croyons que la forme manuscrite est préférable, car elle permet d'être plus près du cœur, sans la distance que crée l'outil technique. Mais bien entendu, beaucoup de gens sont plus habitués à leur clavier et si vous vous sentez plus à l'aise ainsi, n'hésitez pas.

Maintenant, lisez les histoires que nous avons eu le privilège d'entendre. Certaines personnes ont surmonté leurs mécanismes de défense afin de vivre pleinement et de façon productive. D'autres les ont maîtrisés, puis transformés en ressources bienfaitrices. Au fil de la lecture, voyez si vous pouvez identifier ceux qui ont vaincu et maîtrisé positivement leurs armures. Nous vous donnons *notre* analyse de la façon dont ils ont procédé, à la fin de chaque histoire. (À signaler qu'aucun d'eux n'a été l'un de nos patients ; ils ont simplement eu la générosité de nous raconter leur histoire pour le présent ouvrage.)

Ryan Seacrest

Ryan Seacrest est l'animateur de l'émission à grand succès, *American Idol*. Il anime également *On-Air with Ryan Seacrest*, une émission populaire du matin à la radio KIIS-FM de L.A., ainsi que *American Top 40*, distribuée sous licence dans les plus importantes stations de radio ; il a animé les Emmy Awards et figure parmi les « 50 plus belles vedettes » votées par le magazine *People*, entre autres réalisations.

Un animateur vedette, beau, riche et célèbre, Ryan semble avoir maîtrisé sa vie. Mais comme nous tous, il a eu sa part de difficultés. Il représente un exemple de celui qui a vaincu l'adversité pour atteindre son objectif ultime : devenir célèbre. Mais il a dû en payer le prix. Il comprend mieux maintenant ce qui le pousse et comment faire face à l'échec.

Le matin de notre rencontre, Ryan a reçu une mauvaise nouvelle : un talk-show présenté à la télévision durant la journée venait d'être annulé au bout d'une seule saison.

« Les ennuis ne manquent pas en ce moment. C'est une journée décevante. Mais ce qui s'est passé ce matin m'a aidé à me concentrer et à voir plus clair. Je sais ce dont je désire parler au sujet de mon armure du cœur. En fin de compte, le mécanisme dont je me suis servi dans l'enfance m'aide aujourd'hui à mettre en perspective ce que je traverse présentement.

« J'ai grandi à Atlanta, en Géorgie. Mes parents étaient plutôt conventionnels. Nous avions une belle maison ; rien d'extravagant, mais avec un garage double tout de même. Et je ne pouvais pas imaginer être un jour en mesure de m'offrir une maison avec un garage double.

« Quand j'avais 12 ans, je savais quelque chose au fond de moi que peu d'autres enfants de mon âge savaient. J'avais déjà décidé ce que je voulais faire dans la vie. Quel qu'en soit le prix, d'une façon ou d'une autre, je voulais travailler à la radio, et peut-être même à la télé.

« Enfant, j'étais très actif. Vous savez, je n'étais pas du genre à lever timidement la main et à rester tranquille en classe. J'avais des tonnes d'énergie, d'agressivité et le désir de me faire connaître. Cette passion et cette ardeur de ma jeunesse sont apparemment ce qui m'a donné le courage de quitter ma famille et de déménager sur la Côte Ouest.

« Ce vif désir que j'avais commencé à éprouver dès l'âge de 12 ans ne m'a jamais quitté. À 19 ans, il était

devenu encore plus ardent. Je me suis aperçu que ma ville d'origine n'était pas à la hauteur de mes objectifs. Je me rappelle clairement le soir où j'ai dit à mes parents : "Il faut que j'essaie quelque chose. Il le faut, parce que je ne peux pas rester là tranquille. Je vais déménager à Los Angeles pour suivre ma voie."

« Mes parents étaient bouleversés. Je savais qu'ils devaient prendre une gigantesque décision : ou bien ils subviendraient à mes besoins ou bien nous allions nous confronter longtemps. Avec le recul, je réalise que mes parents étaient en délicate position. L'équilibre est mince entre encourager les passions d'un adolescent qui poursuit un rêve très difficile et s'assurer en même temps qu'il puisse faire face aux réalités pratiques. Mes parents m'ont soutenu émotionnellement, mais j'ai essentiellement vécu de céréales à L.A. pendant un certain temps. Le sushi n'existait que dans mes rêves !

« Je vis ici depuis dix ans maintenant. Mais je me souviens des années de vaches maigres du début : ne connaître personne, être chauffeur de fourgonnette pour une station de radio. J'avançais centimètre par centimètre pour me rapprocher de mon objectif. Pas question de rentrer à la maison, la mine basse. J'avais très peur, mais je me suis concentré sur ma passion et sur ce qu'il me fallait faire. J'avais identifié mon rêve et personne n'allait me faire changer d'idée ni m'empêcher d'y arriver.

« La plupart d'entre nous sommes conditionnés à penser que nous ne pouvons pas réaliser nos rêves. Je pense que c'était une bénédiction pour moi de savoir si tôt dans la vie que rien d'autre ne saurait me combler que la poursuite de mon rêve. Et que je ne ferais rien d'autre que cela.

« *Même si une partie de moi se sent découragée aujourd'hui à cause de l'annulation de cette émission télé, une plus grande partie de moi se rend compte que c'est inutile. Pour moi, la vie consiste à identifier un désir, une passion, puis à la vivre de tout son cœur. L'émission est annulée, mais nous n'avons pas échoué pour autant ; je n'ai pas vraiment échoué non plus. C'était quelque chose que je voulais. J'ai essayé. J'ai suivi mon cœur. J'ai identifié une passion et je suis allé jusqu'au bout. La réussite, c'est ce que l'on découvre durant le processus pour atteindre son rêve, ce n'est pas nécessairement la réussite elle-même.*

« *Je sais que j'ai beaucoup de chance ! J'ai eu une occasion formidable avec* American Idol. *Mais même sans cette grande chance, je travaillerais de toute façon à la télé ou à la radio. J'ai toujours désiré être présent dans les médias d'une manière ou d'une autre, parce que j'adore cela.*

« *C'est amusant de penser que l'émission* American Idol *est basée sur cette leçon. Nous y accueillons des jeunes de partout au pays qui croient en leur rêve, qui ont une passion. Chacun donne le meilleur de lui-même, mais seuls quelques-uns finissent par décrocher des contrats et gagner beaucoup d'argent. Au bout du compte, tous réussissent. Ils ont un rêve et le poursuivent. Certains sont plus récompensés que d'autres, mais le plus important, comme pour moi, c'est d'avoir écouté leur passion et de l'avoir suivie !* »

Ryan avait une longueur d'avance sur beaucoup de gens qui luttent pour atteindre des objectifs presque inaccessibles. Dès son plus jeune âge, il savait ce qu'il voulait. Peu lui importait la souffrance ou les échecs, il trouvait le moyen de les supporter. Ryan avait été un pro dès l'enfance pour utiliser son mécanisme de défense — le Déni — à son avantage. Il a su très tôt qu'il voulait absolument travailler à la radio ou à la télé. À l'âge adulte, il voit clairement maintenant qu'il se sentait invincible et que son désir était plus fort que sa peur. Il reconnaît avoir enfoui des sentiments intolérables de crainte de l'échec dans un domaine où la concurrence est féroce. Il a simplement mis tous ses doutes et toutes ses craintes dans un tiroir de son cerveau et s'est investi dans tous les emplois disponibles avec ferveur. Cela l'a protégé de la souffrance le long du parcours et il a poursuivi sa route vers le succès.

Aujourd'hui, Ryan peut constater à quel point son élan était puissant, et comment il devait forcément étouffer sa peur tandis qu'il poursuivait un objectif de réussite presque impossible à atteindre. Même en dépit de cette grosse déception de la journée, il était capable de la mettre en perspective et de ne pas la laisser le démolir.

Ryan avait appris avec le temps qu'un brin de Déni l'aidait à continuer et à garder le cap. Il est reconnaissant de sa réussite, il peut mettre ses échecs en perspective, et se sert de son mécanisme de défense plus consciemment que durant sa jeunesse.

Notre entretien avec Ryan révèle que l'important consiste à apprendre à traiter nos émotions sous-jacentes consciemment, non pas automatiquement, afin de pouvoir trouver la solution à chaque situation complexe que la vie nous présente. Ryan est l'exemple idéal de quelqu'un qui a utilisé le Déni de manière à favoriser son parcours professionnel. Les armures du cœur peuvent parfois être utiles et pas toujours nuisibles. Dans la carrière que Ryan avait choisie, les risques d'échec l'emportaient sur les chances de réussite. Pour s'aider à poursuivre son rêve malgré les inévitables embûches, choisir le Déni était judicieux.

Wendie Jo Sperber

Wendie Jo Sperber est morte d'un cancer du sein à 47 ans. Peu avant son décès, nous avons eu le privilège de la rencontrer pour parler de sa vie et de son travail. Pour ceux d'entre vous qui n'en connaîtraient que le visage, Wendie avait obtenu un haut niveau de reconnaissance lorsqu'elle tenait la vedette avec Tom Hanks et Peter Scolari dans la sitcom des années 1980, *Bosom Buddies*. Par la suite, elle a joué dans de nombreuses autres émissions télé, dont *Will & Grace* et *8 Simple Rules* ; elle a également tenu des rôles dans plusieurs films, dont la série *Retour vers le futur*.

Nous avons rejoint Wendie devant un édifice bien éclairé, appelé weSPARK, dans la vallée de San Fernando à l'extérieur de L.A. On y a trouvé des murs aux couleurs apaisantes, des fauteuils douillets et beaucoup de gens affairés, le sourire aux lèvres. On ne s'attendrait pas à une telle sensation de chaleur et de joie en entrant dans un centre de soutien s'adressant à des cancéreux et à leurs familles, mais l'ambiance était vivante et vibrante d'activité et d'énergie positive. C'était un endroit qui non seulement offrait des services de soutien aux patients atteints de cancer, mais également aux enfants, aux adolescents, aux conjoints et aux soignants affectés indirectement par la maladie. En outre, le centre offre des séminaires d'information, des ateliers d'artisanat, d'exercice et de musique ; en plus de la solidarité et de la chaleur humaine. Wendie était le catalyseur de cette oasis. Nous voulions l'entendre personnellement nous dire ce qui l'avait poussée à transformer son état de santé critique en quelque chose d'utile et de significatif pour la communauté.

« Je vais vous dire à quoi correspond le sigle anglais weSPARK », nous a expliqué Wendie. Au départ, elle souhaitait l'acronyme *SPARK* seulement — *Support, Prevention,*

Acceptance, *Recovery* et *Knowledge* [Soutien, Prévention, Acceptation, Rétablissement et Connaissance] — mais il était déjà utilisé. Elle a donc ajouté *we* [nous]. « Après tout, *nous* sommes tous ensemble ici et *nous* avons tous une lumière qui brille à l'intérieur. » C'est ainsi que le centre est né.

« *À la fin du primaire, des mots ont détruit ma confiance en moi et ont eu un effet à long terme sur ma façon de me définir moi-même. En sortant de l'école, une camarade m'a traitée de grosse. En rentrant à la maison, je me suis regardée dans le miroir. Voici la photo de ma fille au même âge.* (Wendie nous a alors montré une photo de sa fille de dix ans.) *Voilà à quoi je ressemblais : je n'étais pas grosse, simplement ronde et mignonne. Mais à 11 ans, je me suis dit : je suppose qu'une grosse ressemble à ça. Et la lutte s'est amorcée depuis lors. Je pense que les mots m'ont effrayée pour toujours — les mots qui me donnent l'impression d'être quelqu'un de mauvais, qu'on ne peut pas aimer ni toucher — des mots avec lesquels je ne me suis jamais réconciliée.*

« *Maintenant, passons à mon diagnostic en 1997. Écoutez bien. On m'annonce que j'ai le cancer et ma première pensée est la suivante :* Super, je vais aller en chimiothérapie et perdre beaucoup de poids. *Plutôt que :* Oh, mon Dieu, j'ai le cancer ! *N'est-ce pas complètement absurde ?*

« *Au départ, il s'agissait d'une détection précoce, donc pas de quoi en faire un drame. Mais les mots ont un poids, un effet réel. On se perçoit d'une autre façon : on aperçoit la mort, les cheveux qui tombent et la maladie. Et les autres vous voient à travers la lorgnette de ce que le cancer signifie pour eux.*

« *J'ai subi une double mastectomie dès le premier diagnostic. Puis, il y a deux ans, on a découvert que le cancer s'était répandu aux poumons et aux os. Je reçois de la chimio depuis un an : quotidiennement pendant deux semaines, suivi d'une semaine de répit.*

« *L'ancienne Wendie me manque. Je n'ai pas d'énergie. J'ai les mains et les pieds pleins d'ampoules et je ne peux plus danser ni aller marcher dans le canyon. Rappelez-vous, chacun a ses propres mots pour décrire le cancer et cela les éloigne de vous-même et de la maladie. On vit seul avec elle. Au bout d'un an, l'homme que j'aimais et qui m'aimait n'a plus été capable de tenir le coup et m'a quittée. Il n'arrivait pas comprendre ce qui se passait. À l'époque, ma fille était très jeune et croyait qu'elle allait "attraper" ma maladie.*

« *J'ai soudainement compris qu'elle n'avait nulle part où aller, pas d'autres enfants avec qui parler et jouer, et qui comprendraient ce que c'est que de vivre avec une maman atteinte du cancer. Il existait des centres d'aide, mais qui ne semblaient pas s'occuper des tout jeunes enfants, et les femmes qui s'y rendaient étaient pour la plupart beaucoup plus âgées que moi. Bon sang, il y a plus d'un million de personnes ici dans la Vallée et rien en place pour nous. Alors, après avoir travaillé dans différents centres, je me suis dit* Je vais en créer un moi-même. *Ma cousine venait de mourir de la leucémie, et ni elle ni sa famille n'avaient pu trouver du soutien avant son décès.*

« *À l'origine, je m'occupais de tout et, bien sûr, je ne me donnais pas de salaire. Maintenant, fort heureusement, chacun accomplit toutes les tâches que je faisais. Je m'occupe encore beaucoup des levées de fonds et cela aide énormément. À cause de ma maladie, je dois malheureu-*

sement laisser les autres agir à ma place et c'est très dur pour moi.

« Il y a beaucoup d'énergie ici et tout avance à pas de géant. Vous savez, j'observe tout cela et je ris. À peine quelques mois avant mon diagnostic, je me disais "J'en ai assez ; j'en ai marre d'être actrice". J'étais lasse et je sentais devoir faire quelque chose de plus. Puis, j'ai reçu le verdict. Alors, pas question de cesser de jouer, car je devais continuer à travailler pour conserver mon assurance-maladie !

« Ce centre est devenu mon monde et ma vie, mais d'une façon bien différente qu'en jouant au cinéma. C'est si puissant ! Il suffisait de planter une petite graine et voyez ce qui a fleuri. Tout le monde travaille fort et il y a tellement de compréhension ici. J'ai appris à ne plus avoir peur des mots durs, même les mots méchants en moi. »

Quand nous avons appris la mort de Wendie, nos pensées et nos prières sont allées à ses enfants et à sa famille. Mais nous savions par ailleurs que grâce à son Altruisme, des milliers d'individus et de familles allaient continuer de recueillir les fruits de son dévouement. Ce mécanisme de défense a un effet boule de neige : il démarre tout doucement, puis grossit peu à peu pour ensuite influencer les générations suivantes. À partir de ce seul mot, *cancer*, Wendie a entrepris un parcours douloureux qui a touché à jamais la vie de plein de gens.

Patrick Dempsey

Patrick Dempsey est la vedette et le sex-symbol de la célèbre émission *Grey's Anatomy*. Il est maintenant âgé de

40 ans, mais il a commencé à jouer au cinéma et à la télé dès son adolescence.

Lors de notre entretien avec Patrick, nous lui avons demandé de parler de l'époque de sa vie où les membres de l'industrie du spectacle étaient froids et dédaigneux, malgré ses succès précédents. Heureusement pour les femmes du monde entier, il a finalement obtenu le rôle du « Dr McDreamy » et est devenu une vedette de cinéma également.

Il est arrivé une heure en retard à notre rendez-vous pour le petit déjeuner, mais difficile d'en vouloir à quelqu'un d'aussi gentil et beau, surtout quand il nous a expliqué que son bébé était malade et qu'il avait dû aider son épouse.

> *« J'ai grandi à Buckfield dans le Maine. J'étais un enfant athlétique qui s'est entiché du monde du spectacle après être arrivé deuxième dans un concours international de jongleurs. J'ai alors su que le théâtre était ma voie. J'ai quitté le collège à 17 ans pour tenter ma chance à New York. Je me rappelle encore mon père, dans l'embrasure de la porte, me regarder partir vers la gare. J'ai alors eu le sentiment étrange que mon adolescence venait de se terminer.*
>
> *J'étais à New York depuis peu, tentant de m'habituer à la grande ville, quand mon père est mort. À un moment où j'avais grand besoin d'un modèle masculin, je me suis senti vraiment seul. Je n'avais plus de papa sur qui m'appuyer, à qui parler et qui puisse me transmettre sa sagesse. Je me retrouvais sans personne alors que je n'étais encore qu'un enfant.*
>
> *« Presqu'aussitôt, on m'a retenu pour un spectacle sur Broadway,* Torch Song Trilogy. *Nous étions au*

début des années 1980, je passais d'une petite ville à la grande cité, et tout s'est passé avec une telle facilité.

« L'ignorance a été un bienfait pour moi. Si j'avais su que la vie d'acteur comportait tant de chômage et de rejet, je n'aurais sans doute pas eu le courage de foncer.

« Alors que ma réussite précoce prenait forme, j'étais entouré de gens amers à cause de leur lutte pour trouver du travail et se tailler une place dans le show-business. Je me sentais un peu coupable de mon succès. Certains de ces acteurs en avaient eu, puis l'avaient perdu. Je ne me doutais pas que je me retrouverais dans leurs chaussures très bientôt.

« À l'approche de mes 25 ans, ma carrière au cinéma était déjà bien amorcée. Mais comme on m'accordait de plus en plus d'attention, j'ai commencé à douter de la solidité de mes aptitudes d'acteur. Et cela, à cause du fait que je comprenais que ce métier était mon gagne-pain et que je n'avais aucun talent pour faire autre chose. Je devais trouver le moyen de réprimer le doute. J'ai commencé à étudier avec de nombreux grands professeurs. J'étais attiré par ceux qui me donnaient le pouvoir de choisir par moi-même et non par ceux qui tentaient de me dire comment faire.

« Incidemment, au moment où j'entamais une remise en question, a débuté une période de dix ans au cours de laquelle les producteurs et les responsables de la distribution ne s'intéressaient plus à moi. Durant un certain temps, on m'avait tout offert sur un plateau d'argent et soudainement voilà que les producteurs, les réalisateurs et les responsables de casting que je rencontrais dans les auditions se montraient blasés ou pleins d'animosité à mon égard, peut-être aussi parce que je ne correspondais pas au personnage qu'ils recherchaient.

« Alors, que faire ? J'avais connu une période formidable ; j'avais atteint tous mes objectifs et dépassé mes attentes. Je suis devenu déprimé. J'avais cru que d'être un acteur à succès était un objectif qui donnerait un sens à ma vie. Je m'apercevais maintenant que je n'avais plus d'objectifs. On m'avait mis de côté et je dérivais. Je ne savais pas quels nouveaux buts établir. Tout ce que je savais, c'était que je commençais à comprendre que le monde extérieur n'avait plus rien de gratifiant. J'ai pensé que je devais sans doute procéder à un changement intérieur.

« C'est surtout de 25 à 32 ans que la vie a été dure pour moi… toutes ces auditions, tous ces espoirs déçus pour trouver du travail. J'ai craint de devenir comme ces acteurs amers que j'avais rencontrés quand j'étais à l'apogée : ceux qui ruminent sans fin toutes les occasions ratées. Au même moment, j'ai remarqué que je perdais l'arrogance de ma jeunesse. Je découvrais mes défauts et cela m'a ébranlé. Ma confiance en moi en a pris un coup. Si je ne pouvais plus me définir via ceux susceptibles de m'embaucher, pouvais-je retrouver mon estime personnelle en moi-même ? Après tout, les professeurs et les mentors qui m'avaient attiré le plus étaient ceux qui m'avaient encouragé à réfléchir à l'existence par moi-même.

« Depuis que j'avais quitté le domicile familial à 17 ans, je rêvais de retourner dans le Maine un jour quand j'aurais réussi, puis d'y acheter ma maison. Le moment était propice, réussite ou pas. Ma mère venait de recevoir un diagnostic de cancer. Je vivais une merveilleuse relation avec ma fiancée. Et ma carrière d'acteur était pourrie.

« Nous avons trouvé une vieille maison qui nécessitait beaucoup de travaux. Ironiquement, c'est durant la rénovation de cette maison avec l'aide ma mère que nous avons pu, elle et moi, rebâtir une relation qui était restée tendue pendant des années. Nous avons pu créer un nouveau lien d'adultes. Je n'étais plus seulement son fils. Cette fois, quand je serais de nouveau prêt à quitter le Maine et à me mettre en quête de renommée, je ne serais plus l'adolescent naïf de 17 ans.

« Tandis que ma maison dans le Maine prenait forme, je prenais également forme. Il devenait de plus en plus clair que j'étais qui j'étais, rien de plus rien de moins. Je faisais la paix avec moi-même. Je continuais de fouiller au fond de moi pour comprendre mes pensées et mes émotions. J'ai cherché plus de compréhension auprès de mes amis, mentors, et en thérapie également. Je réalisais que si je consacrais toute mon énergie à trouver un nouveau rôle d'acteur, il ne me resterait rien. Je continuerais d'être à la dérive et déprimé.

« Je devais d'abord croire en moi. J'avais besoin d'une vie avec une femme aimante, une vie comportant d'autres passions en dehors de ce milieu inconstant. Je voulais trouver un sens. J'étais plus douloureusement conscient que le métier d'acteur était mon choix pour la vie. J'en avais besoin non seulement comme moyen de subsistance, mais également pour nourrir mon âme.

« Vingt ans auparavant, mon père m'avait regardé partir en me disant au revoir de la main. Il avait confiance en mes aptitudes et en ma personnalité. Il m'a fallu tout ce temps pour gagner confiance en moi. Grâce à sa sagesse, disparue trop tôt, il m'a permis de boucler la boucle : poursuivre le rêve qui allait nourrir mon cœur et me permettre de devenir l'homme qu'il savait que je deviendrais. »

Patrick a connu des moments difficiles. Non seulement parce qu'il avait quitté la maison très tôt et fait face à la mort de son père peu de temps après, mais également parce que sa carrière prometteuse a soudain frappé un mur. Après avoir finalement compris que sa profession était aussi vitale pour lui que l'air qu'il respirait, il a été amèrement déçu de ne pouvoir vivre sa passion. Pour arriver à traverser ce passage, il s'en est remis à la Sublimation, un sain mécanisme de défense.

Au moyen de la Sublimation, Patrick a appris qu'il pouvait être autonome durant les pires déceptions. Il a choisi d'utiliser ses aptitudes créatrices d'une autre façon. En retournant dans sa maison d'enfance, en entreprenant un projet de rénovation, en reconstruisant un lien d'adulte avec sa mère et en s'engageant pleinement dans sa relation avec sa fiancée, Patrick s'est servi judicieusement de son armure. Il n'a pas permis à cette partie de sa vie de prendre le dessus et de renoncer à son choix de carrière. Il a plutôt utilisé la Sublimation avec sagesse en canalisant ses déceptions et ses frustrations dans d'autres formes d'expression.

Durant ces années de hauts et de bas extrêmes — quitter la maison très jeune, perdre son père en pleine adolescence et passer de super vedette à rien du tout — Patrick a développé la capacité de regarder en lui-même et de trouver son pouvoir intérieur. Parce qu'à cette époque de sa vie, il a su s'ouvrir à des mentors, à des êtres chers et à des thérapeutes, son cœur était moins sur la défensive et plus libre de vivre ses émotions. Cela l'a aidé à absorber les difficultés sans que celles-ci ne l'abattent.

Warren Bell

Warren Bell est bien connu comme auteur/producteur de sitcoms. Il a été chef de production de succès comme *According to Jim, Ellen* et *Coach*; et il a également écrit certains épisodes de ces séries. Il est membre du conseil d'administration de la Corporation for Public Broadcasting et collabore au *National Review Online*. En raison de sa facilité à raconter, Warren nous a captivés lors de notre entretien avec lui. Il est marié et père de deux jeunes fils qui n'étaient pas nés au moment des événements.

« Il y a quelques années, j'ai vécu un événement qui m'a en fait considérablement affecté, mais ce n'est que beaucoup plus tard que j'ai réalisé à quel point.

« Nous sommes au printemps de 1993 et je viens de terminer ma troisième année dans le milieu de la télé. Je suis un producteur de la série à succès Coach.

« Même si je ne suis pas un gars qui s'énerve facilement, donc plutôt consensuel, le plateau de tournage avait été un peu difficile et j'étais content que la saison prenne fin. Ainsi, je me retrouve à la soirée de clôture au Dodger Stadium et l'un des scénaristes, Bill, devenu un ami, m'invite à me joindre à lui et à 15 autres gars pour une excursion de pêche : juste entre gars, super ! Je n'ai pas trop le temps de m'enthousiasmer, car nous partons très tôt le lendemain pour monter à bord d'un bateau de 15 mètres, qui peut accueillir 12 personnes.

« En rentrant dans la voiture ce soir-là, ma femme, Lee, me dit : "Je sens que ce voyage en bateau est le début

d'un mauvais film. Tu sais, le genre : il y avait 15 auteurs à bord et ils partirent vers le large…" Ça m'a fait rire.

« Le lendemain matin, après être montés à bord, nous nous sommes dirigés vers le large. C'était magnifique. Les dauphins nous accompagnaient, les phoques nageaient près du bateau et même mon mal de mer ne pouvait ruiner cette superbe journée. Notre capitaine et son second nous ont emmenés assez loin pour que nous puissions commencer à pêcher. N'étant pas grand amateur, j'ai préféré rester assis au soleil en sirotant une bière ou deux et jouir simplement de la vue.

« Après avoir pêché et relaxé, le plan consistait à nous rendre à l'île de Santa Barbara, transformée en parc national. On prévoyait jeter l'ancre à environ 100 mètres de l'île, embarquer dans un canot pneumatique pour nous rendre à terre, pique-niquer et faire une randonnée pédestre. Le temps était radieux, il faisait autour de 18 degrés. Il y avait quelques vagues, mais rien de sérieux.

« J'aperçois une île aux allures volcaniques, peu d'arbres et aucun signe de plage ni de quai. Une échelle de métal descend le long d'une falaise dans une crique rocheuse. Je me rends compte que la seule façon d'atteindre l'île consiste à nous rapprocher de l'échelle et à y grimper les 12 mètres.

« Alors, Bill et moi, ainsi qu'un autre ami, Eric, décidons de sortir le canot d'abord. Nous nous dirigeons vers l'île et la mer devient houleuse. Plus nous nous rapprochons des rochers, plus les vagues semblent vouloir nous rattraper et elles font maintenant plus d'un mètre. Je commence à me demander comment nous allons y arriver. Bill est assis à l'arrière et tient le gouvernail, Eric est à l'avant, et je me trouve au centre. Nous sommes poussés vers l'échelle plus rapidement que nous ne l'aurions cru et Bill crie à Eric de l'attraper. Sauf que nous avançons à au moins 3 km/h dans cet océan de plus en plus houleux et Eric est incapable de saisir l'échelle ! Nous voilà donc dans ce petit canot pneumatique, ballottés par de grosses vagues, en direction d'un amas de rochers !

« Le pneumatique se fracasse contre le premier rocher et se plie en deux. Eric et Bill sont aussitôt éjectés de l'embarcation. Je me tiens toujours au centre, avec le devant du canot contre mon visage. Je m'approche dangereusement vers un gros tas de roches et je suis affolé à l'idée que les prochaines vagues vont me propulser sur leurs arêtes acérées. La seule chose à laquelle je pense pour me sortir de là est de me déplacer du centre du canot. Mais en faisant cela, je me retrouve dans l'eau et l'embarcation part dans l'autre sens. Essayer de s'accrocher à des rochers volcaniques revient à saisir une poignée de lames de rasoir.

« Me voilà donc avec de l'eau jusqu'à la poitrine, à l'entrée d'une grotte d'environ 18 mètres. Les vagues me projettent dans la cavité, je cale dans l'eau, pour ensuite refaire surface et respirer. Comme le courant est très fort, impossible de nager jusqu'à l'échelle située 12 mètres plus loin. J'essaie de m'accrocher à un rocher et de tenir debout sur le sable qui fuit sous mes pieds. Ma tête frappe assez fort un récif. Je n'arrive pas à tenir en place quand les vagues arrivent. Je retire ma veste de cuir, car elle est trop lourde et glacée. Je suis exténué. J'ai 29 ans. Je ne suis marié que depuis six mois et je me rends compte que je vais mourir.

« Entre-temps, Bill et Eric ont réussi à atteindre le dessus de la grotte. Ils ont essayé de venir me chercher, mais ils se trouvent à plus de trois mètres au-dessus et ils ont dû m'apercevoir entrer et sortir de la grotte comme une poupée de chiffon. Même si je me sens désespéré, je continue à lutter pour survivre.

« *De nouvelles pensées me viennent, une nouvelle sensation, peut-être une voix, je n'en suis pas sûr.* J'entends mes pensées : Je dois sortir d'ici, car Lee est enceinte. Il y a un bébé qui m'attend. *Ma femme avait alors fait un test qui s'était révélé négatif, mais quelque chose en moi me disait que je devais m'en sortir car quelqu'un m'attendait.*

« *En même temps que je sens cette force intérieure, je prends conscience qu'en m'enfonçant davantage dans la grotte, je suis mieux protégé et je peux garder la tête hors de l'eau. Je finis par pouvoir me reposer sur de la terre ferme. Maintenant je sais que je ne mourrai pas noyé… mais de faim !*

« *Alors, environ 15 minutes passent et je suis là, assis, gelé et épuisé. J'entends la voix de Bill : Warren… Warren, es-tu là ? Peux-tu nager à l'extérieur de la grotte ?*

« *Je lui réponds : Non, c'est justement pour ça que j'attends ici !*

« *Par chance, ou grâce à Dieu, les patrouilleurs du parc changent de quart toutes les deux semaines et c'était ce jour-là. Un bateau vient juste de se pointer, avec 12 hommes munis d'équipement d'escalade et d'habits de plongée. La grotte a une ouverture en forme de cheminée. C'est très étroit, mais je parviens à m'y hisser suffisamment pour que les sauveteurs puissent me jeter une corde. C'est peut-être grâce à cette réserve de force que nous avons tous, je ne sais pas. C'est peut-être plus grand que moi, je ne sais pas, non plus. Mais finalement, me voilà sur les rochers et un hélicoptère de la Garde côtière descend un panier dans lequel j'embarque. Bill fait de même, car il a lui aussi été blessé en essayant d'aider les plongeurs à m'atteindre.*

« *On nous emmène à l'hôpital. Dans l'hélicoptère, je* *pense :* Je devrais être effrayé, mais je ne le suis pas. *Je songe :* Je suis capable d'en prendre, *comme dans le* *film* Le maître d'armes, *au sujet d'un écrasement* *d'avion. Je m'en suis sorti et plus rien ne peut me tuer* *désormais. On me fait des points de suture à la tête et aux* *coudes, et j'ai de belles ecchymoses de la tête aux pieds.*

« *Entre tous les coups que j'ai subis et les pilules contre* *la douleur, je dors profondément, lorsqu'un matin, ma* *femme me réveille à 6 h en pleurs. Elle a fait un nouveau* *test de grossesse et celui-là se révèle positif. Je suis* *transporté de joie ! Dans les jours qui ont suivi, je me suis* *rappelé mes pensées dans la grotte. Je savais au fond de* *moi que je devais sortir vivant de cette aventure, car quel-* *qu'un qui n'était pas encore né aurait besoin de moi.*

« *J'ai eu 30 ans. Je suis devenu papa. Et je vis quoti-* *diennement avec cette expérience d'avoir frôler la mort. Je* *prends le risque de quitter un emploi bien payé. Je porte* *attention à des émotions auxquelles je ne m'étais jamais* *attardé auparavant. Rappelez-vous : je suis le gars que les* *hauts et les bas de la vie ne dérangent pas. Mais à présent,* *en portant enfin attention aux sentiments que j'avais* *longtemps ignorés, je reconnais quelque chose de profond :* *j'avais vécu toute ma vie dans un halo de dépression. Pour* *des raisons personnelles, j'avais enfoui mes joies, mes* *peurs et mes enthousiasmes afin de me les cacher.*

« *Je réalise de plus en plus à quel point la vie est courte.* *Bien que je ne puisse pas déclarer avec certitude que cette* *expérience d'avoir frôlé la mort m'ait changé, mes compor-* *tements semblent l'avoir enregistrée.* »

En écoutant Warren nous raconter cette histoire fasci-
nante, nous avons été frappés par le fait qu'il ne se percevait

pas comme quelqu'un de radicalement transformé par cet événement traumatisant. Il a cependant reconnu qu'il avait été courageux de quitter un emploi bien rémunéré, malgré l'arrivée prochaine de son premier enfant. Sa pensée est devenue claire comme de l'eau relativement à la façon dont il avait vécu jusqu'à cet accident de bateau : détaché de la plupart de ses émotions, anesthésié de ses joies et ses peurs à cause d'une couvée par la dépression.

Durant plusieurs années, Warren avait utilisé l'écriture et son cerveau créatif pour bien gagner sa vie. Tandis que son Intellectualisation le servait bien, elle le garantissait contre ses émotions plus profondes. Son expérience terrifiante et menaçante lui a permis de prendre conscience des armures qu'il avait érigées. Il a découvert une partie de lui-même et entrepris un parcours pour devenir un homme plus près de son cœur, et pas seulement de sa tête.

On peut uniquement spéculer que l'intuition de Warren dans la grotte au sujet du bébé à naître est attribuable à deux éléments : d'abord, il y a des choses qu'aucun d'entre nous ne sait vraiment et que nous ne faisons qu'espérer ; quelque chose de plus grand que nous, et nous y puisons parfois pour avoir du réconfort et de la guidance. Deuxièmement, Warren a pu parler de sa petite voix intérieure qui le poussait à grandir et à s'épanouir au-delà de l'étape où il se trouvait à ce moment-là de sa vie.

Mary Lynn Rasjkub

Mary Lynn Rasjkub, une actrice de 35 ans, partage la vedette avec Kiefer Sutherland, dans le rôle d'un génie informatique, Chloe O'Brian, dans la très populaire série : *24 heures chrono*. Elle a également participé à bon nombre de films populaires, dont *Fashion Victime*, *La Blonde contre-attaque*, et *Little Miss Sunshine*.

Un dimanche après-midi, Mary Lynn nous a accueillis dans sa maison ensoleillée, en réfection, et remplie de chiens, pour nous raconter son histoire. Sa vie était alors un travail en cours, comme sa maison, car elle était enceinte de son premier enfant.

Mary Lynn nous a ouvert son cœur et raconté le parcours qui l'avait menée de sa ville d'origine, Trenton au Michigan, à Los Angeles où elle s'est retrouvée dans une série télévisée gagnante d'un prix. Ce qui nous a frappés dès le départ, c'était son désir précoce de suivre une voie différente de celle de sa famille. Avec le recul, elle pouvait constater à quel point elle avait ardemment souhaité s'en distinguer. À l'époque, cependant, elle avait très peu conscience de tout cela. Elle a failli suivre la voie de se marier jeune, d'habiter sa ville natale, et de ne jamais monter sur les planches. Mais quelque chose de persistant et de presque inconscient l'avait poussée à ne pas « s'installer ».

> « J'avais peur et je me sentais coupable de penser et de ressentir différemment de ma famille. Quand j'étais enfant, j'ai travaillé fort pour adopter un visage neutre afin que personne ne puisse savoir ce que je pensais ou éprouvais. Si vous demandiez à quiconque me connaissait à l'époque, il répondrait que j'étais amusante. Il est curieux de constater que "d'être amusante" est par la suite devenu mon travail.
>
> « Je suppose que j'ai su très tôt que je devais m'éloigner pour être moi-même. En y songeant aujourd'hui, je me rends compte que ma mère avait remarqué mon intérêt pour le théâtre et les beaux-arts au collège, et savait que

j'avais besoin d'être stimulée, tout comme j'avais besoin de créer. Mes parents m'ont inscrite à un cours d'aquarelle dans un petit centre commercial du quartier. Je me rappelle avoir peint des fleurs sur des cartes de vœux. Je savais que l'université n'était pas pour moi. Je voulais entrer aux Beaux-arts. C'est ce que j'ai fait et ce fut merveilleux et révélateur.

« Personne dans ma famille n'avait fait d'études supérieures. J'ai payé les frais de scolarité par carte de crédit. Je pense que j'y suis allée non seulement par amour de l'art, mais à cause de la peur de rester coincée pour toujours dans un emploi sans intérêt. Avec cela en tête, quand ma meilleure amie m'a demandé d'aller faire une session avec elle à San Francisco, j'ai sauté sur l'occasion. Je crois que je savais au fond de moi que j'allais y rester beaucoup plus longtemps.

« C'est à San Francisco que j'ai commencé les arts de la scène. Puis, quelque part, j'ai commencé à y prendre plaisir et à improviser. Je jouais la comédie. Je faisais rire. Ou peut-être qu'au début, on riait de moi ? Quoi qu'il en soit, ma carrière a démarré et j'ai obtenu un rôle dans une pièce de comédie. Je présume que c'est parce que j'avais besoin de m'exprimer. Une grande partie de mon humour provenait de ma nervosité et de mon inconfort. C'était réel et c'était drôle, et je savais que je pouvais créer un rôle et continuer, même sans l'impulsion de ma nervosité. J'aimais mon métier. Je gagnais un sentiment de sécurité et de confiance en moi. J'ai décidé que je n'avais rien à perdre, alors autant déménager à Los Angeles.

« En arrivant là-bas, j'ai remarqué que les gens étaient aigris. Je les trouvais négatifs avec une attitude parano du genre : le monde est contre moi. Nous ne parlions pas de foi, de spiritualité ni d'émotions d'aucune sorte. Puis, j'ai

vécu une douloureuse rupture amoureuse. Je savais qu'il me fallait trouver le moyen de rester positive quand les choses tournaient mal. J'ai commencé à me servir de cette souffrance pour m'ouvrir à la spiritualité. J'allais aux auditions et je me suis réellement mise à m'examiner afin de pouvoir m'exprimer de la meilleure façon que je connaissais.

« Maintenant, grâce à ma nouvelle réussite, à mon sentiment de sécurité face à moi-même et à mon aptitude à mieux me comprendre, je suis capable d'être plus présente. Je suis en mesure de reconnaître mes talents, travailler fort pour les développer, et je sais que je peux me conditionner à faire les choses. Si ça ne fonctionne pas, eh bien tant pis, j'essaierai autre chose. Écrire, peindre, jouer, m'occuper de mes vidéos sur MySpace : tout cela est créatif pour moi. Je sais que je serai toujours créative. »

Dans son enfance, Mary Lynn était passée maître dans l'art de camoufler ses émotions. Nous présumons qu'elle a utilisé ce mécanisme de défense, le Déni, très tôt dans la vie. Elle s'est protégée du terrifiant sentiment conflictuel de vouloir se séparer de sa famille tout en ayant besoin de conserver le lien ; elle a nié l'existence de sa famille face à elle-même et face aux autres.

En quittant la maison, elle a découvert qu'elle avait besoin de continuer à jouer la comédie. Ce qu'elle n'a pas réalisé, c'est que l'Humour qu'elle affichait au détriment de sa propre nervosité est devenu un mécanisme de défense qui la protégeait de son inconfort et de son malaise. Non seulement cela lui permettait d'amortir son angoisse face à un auditoire, mais atténuait également le choc d'avoir fait les choses différemment de sa famille.

Nous présumons que Mary Lynn s'était sans doute tournée vers l'Humour pince-sans-rire avant même d'entrer dans le milieu de la scène. Au départ, cette armure l'a protégée de sentiments intolérables : la séparation, la peur du rejet, la gêne et l'isolement. Avec le temps, elle a pu gérer ce mécanisme de défense et l'utiliser à son avantage, sachant quand y faire appel ou pas. Son mécanisme lui sert encore aujourd'hui, mais le fait d'en avoir conscience lui permet de maîtriser de sa vie.

Joe Crummey

Joe Crummey est un animateur de radio au début de la cinquantaine, qui a connu la célébrité en Californie du Sud durant plus de 30 ans, avant de devenir tout aussi populaire à Phoenix en Arizona. Joe a toujours eu de fidèles partisans et est connu pour son esprit irrévérencieux et ses prises de position conservatrices sur l'actualité. Il est du genre sarcastique et direct en tribune téléphonique, mais quand il s'agit d'être aussi direct avec lui-même, c'est autre chose. Il a réalisé qu'il y avait de nombreuses raisons cohérentes pour lesquelles sa carrière et sa vie sentimentale tournaient en rond. C'était un maître de la Rationalisation... jusqu'au jour où il n'en a plus été capable.

> *« J'ai véritablement eu une vie très libre. J'étais célibataire et j'ai occupé une série de postes comme disc-jockey. Pas question de prendre la vie au sérieux ! La chose la plus grave à laquelle je devais faire face, c'était de me lever plus tôt que les autres à cause de mon travail d'animation du matin. J'y arrivais toujours. J'étais le centre de l'univers. La vie était belle. Je m'amusais.*

« En 1993, je travaillais dans une station télé à San Diego. Et chose très étrange, j'ai pensé Me voilà avec des écouteurs conçus spécialement pour s'adapter aux oreilles des journalistes et ils ne fonctionnent pas vraiment bien. De plus, ils me donnent des maux de tête. Quelle station de radio minable !

En 1994, je suis de retour sur le marché des grandes stations — Los Angeles — et je travaille dans la plus importante d'entre elles. La vie est bonne pour moi, mais j'ai encore ces sacrés maux de tête, je n'entends toujours pas très bien, même si l'équipement est perfectionné. Je suis alors certain que ce n'est pas la faute aux appareils cette fois, mais je suis par ailleurs tout à fait sûr que cela doit être dû à la musique forte que j'ai écoutée toutes ces années. Sur la recommandation d'un ami proche, qui avait eu également quelques ennuis d'audition et des maux de tête, je me suis rendu à l'Institut d'audiologie.

« La vie peut s'écrouler très rapidement. Le médecin m'annonce sur un ton très neutre "Vous avez une tumeur cérébrale. Vous allez sans doute perdre l'ouïe. Nous sommes inquiets au sujet du nerf facial qui contrôle le sourire et nous ne sommes pas sûrs que vous pourrez continuer à fermer les yeux. Dans le pire des cas, nous pouvons toujours vous garder les yeux ouverts au moyen d'un ruban adhésif."

« Mais qu'est-ce que vous me chantez là ? Je dois être en ondes demain matin. Ce dossier médical n'est pas le mien, désolé.

« Ça ne va pas bien. Et les quatre jours qui passent entre cette nouvelle du mercredi et la chirurgie du lundi suivant sont extrêmement difficiles. Personne ne peut m'aider. Je me sens vraiment seul. On me dit que je n'ai

pas le choix : si je n'accepte pas la chirurgie, je mourrai, même si la tumeur n'est pas maligne. Ma vie s'effondre.

« Le vendredi avant la chirurgie, je rentre en voiture de la radio à la maison. Je regarde dans le rétroviseur et j'aperçois un visage qui me paraît familier. Je n'ai pas vu ce visage depuis 30 ou 40 ans. C'est le mien : le visage d'un enfant qui pleure.

« Le lundi matin, je suis sous médication avant l'opération. Et je me fiche de tout. Je suis allongé sur cette table étroite, il fait très froid et je me sens comme un morceau de viande. Mais ça m'est égal. Et au dernier moment, ce n'est pas la mort qui me préoccupe, mais la vie — et si je ne peux pas fonctionner après l'opération ?

« Puis, je m'éveille et c'est l'enfer. Quand on vous ouvre le crâne, ce n'est pas franchement formidable. Je voyais double et j'étais très étourdi. En retirant la tumeur, ils avaient détruit mon canal auditif. Personne ne m'avait dit que je devrais réapprendre à me tenir debout et à marcher sans tomber. Personne ne m'avait dit que mes amis me rendraient visite en regardant ailleurs, comme si j'avais une maladie contagieuse. Vous savez très bien qu'ils se sentent soulagés de ne pas être à ma place. Ils disent des choses comme : "Garde l'esprit positif" et combien j'ai de la "chance". Et moi j'ai envie de leur crier : "Si j'étais vraiment chanceux, je n'aurais pas eu de tumeur pour commencer !" Le soutien aide, mais parfois toutes ces attitudes positives nuisent.

« J'avais perdu quelque chose d'immense — mon immortalité. Je n'avais jamais songé que j'allais mourir un jour. Je n'avais jamais pensé que quelque chose de grave pouvait m'arriver. J'avais cru pouvoir traverser la vie en évitant la souffrance sans problème et en évitant ma vie aussi. J'étais champion pour trouver des excuses à tout.

Vous savez, je recherchais constamment le plaisir. N'est-ce pas le cas de tout le monde ? Sauf que courir après le plaisir revient en fait à éviter la douleur de la vie.

« *En quelques semaines, je suis retourné au travail. Je me suis aperçu que j'avais encore une place sur cette terre. Mais c'était différent. Je ne supportais plus ma situation. Je vivais avec des rappels : ma surdité, mon équilibre, la conscience de ma douleur, la guérison. Ma vie avait brutalement changé.*

« *Ma vie a d'ailleurs commencé à se transformer. Je pouvais désormais voir la douleur des autres. Plus je vivais une vie normale, plus mon ancienne vie me paraissait anormale. J'étais de ceux qui se moquaient de la souffrance des autres. Nous faisons tous cela de temps en temps. Maintenant, je devais regarder ma propre souffrance en face. Or, personne ne veut confronter sa propre souffrance. Oh, je ne blâme personne, vraiment pas. Sauf que je ne peux plus prétendre que la vie est du gâteau. Et c'est une bonne chose : ne plus trouver de raisons d'éviter de vivre ma vie.*

« *Et mon travail ? Animateur de radio. Cela me semble différent à présent. Je déteste le dire, mais de faire constamment le pitre et ne pas prendre mon travail au sérieux était une façon pour moi de dévaluer quelque chose qui me tenait à cœur.*

« *Ma compagne depuis plusieurs années, qui voulait tant se marier, m'est apparue différemment. Je suis maintenant un mari dévoué et nous avons un petit garçon de quatre ans. Je l'observe et l'univers tourne autour de lui. Comme pour moi, autrefois. J'étais le centre de l'univers. La vérité, c'est que je n'en suis qu'une toute petite parcelle. Maintenant, je sais ce qui a véritablement changé. Ma vie tourne autour des autres : ma femme, mon fils,* mes auditeurs. Je m'inquiète pour mon fils maintenant. Je sais que la vie est fragile. Je m'inquiète de sa sécurité comme jamais pour personne auparavant. C'est bon de ne pas être égoïste, mais c'est lourd. Quand il était tout petit, je l'emmenais partout dans un porte-bébé. Il était entièrement sous ma protection. Maintenant, il grandit et il est difficile de le protéger de tout à présent.

« Tout ce que j'ai vécu à cause de cette stupide tumeur cérébrale m'a aidé quotidiennement : mon travail, mon fils et ma relation amoureuse. Je me sens différent à l'égard du monde et des gens. Je comprends leur souffrance et, même si ça semble prétentieux, je peux me mettre à leur place.

« On passe sa vie à éviter cela — les peines de cœur, la douleur, la perte et le chagrin. Je comprends. C'est ce que nous faisons depuis la naissance : éviter la douleur. Si j'avais laissé entrer quelqu'un dans ma vie, il aurait fait partie de ma souffrance également et je ne voulais pas cela. Alors, je trouvais des excuses pour éviter les émotions. Mais ce n'est plus le cas aujourd'hui. Tolérer mes émotions m'a aidé à trouver mon humanité. Avec ma femme, quand je ne supporte plus de l'entendre une minute de plus, je me souviens que je suis sourd d'une oreille et je n'écoute pas.

« Pour ce qui est de mon fils, je m'inquiète maintenant davantage pour lui que pour moi. La leçon que j'ai retenue et que je continue d'apprendre tous les jours, c'est que plus la souffrance d'être en vie est grande, plus on en bénéficie ! »

Joe a appris une précieuse leçon sur lui-même à partir d'un événement douloureux où il risquait de perdre la vie : il a compris qu'il avait évité de « grandir », car il était centré sur lui-même. L'avertissement qu'il a reçu lui a fait réaliser qu'il y avait plus dans la vie que seulement Joe. Il n'avait pas pris d'engagement envers sa compagne de longue date, son travail, sa santé et son bien-être, ni pris conscience qu'il n'était pas éternel.

À cause de cette tumeur cérébrale, le mécanisme de défense de Joe s'est rapidement démantelé quand il s'est retrouvé face à la possibilité de mourir. Avant ce problème de santé, Joe vivait dans la Rationalisation, une armure qui s'était révélée efficace. Quand il n'obtenait pas le poste qu'il convoitait, ou si tout n'était pas parfait dans sa relation amoureuse, il atténuait ses sentiments de désespoir ou de déception en les éliminant. Il rationalisait en déclarant que l'emploi en question n'était pas fait pour lui, de toute façon. Il avait trouvé le moyen de ne pas s'engager davantage dans sa relation amoureuse en la gardant au neutre : pas d'engagement, mais pas de rupture non plus — un certain confort dans la neutralité.

Confronté au fait que la vie a une fin et qu'elle est fragile, Joe a pu sortir de lui-même et devenir adulte. Ainsi, sa vie s'est enrichie, sa relation a pris un nouveau sens et sa raison d'être s'est trouvée mieux définie. Il est « marqué » pour toujours d'avoir perdu une partie de son ouïe. Quand il retombe dans ses vieux schémas — le confort de la Rationalisation — il est parmi les chanceux. Quelque chose lui rappelle la leçon qu'il a apprise : il y a beaucoup plus dans la vie que Joe.

Nous espérons que ces histoires vécues vous ont plu et ont suscité votre réflexion. Elles vous ont peut-être ouvert les yeux sur la façon dont d'autres personnes — que certains parmi vous admiraient de loin ou ne connaissaient pas du tout — en sont arrivées à porter attention à leurs méca-nismes de défense.

Nous espérons profondément qu'avec l'aide de ce livre, vous prêterez maintenant attention aux vôtres. Nous croyons, par ailleurs, que ces armures du cœur ne sont plus que des mots que l'on lance dans la conversation, mais des concepts ayant un sens et que vous pouvez reconnaître et utiliser dans votre quête d'une vie meilleure et plus satisfaisante !

POSTFACE

Dans ces pages, nous vous avons présenté dix armures du cœur. Elles sont bien entendu plus que des *mécanismes de défense*, expression utilisée pour la première fois par Sigmund Freud, il y a plus de cent ans. Sa fille, Anna Freud, a poursuivi les travaux de son père pour comprendre le Moi et sa nature défensive. Les penseurs modernes — y compris le psychiatre et chercheur George Vaillant, de Harvard and Dartmouth — dans diverses écoles de recherche post-freudiennes se sont intéressés à ces mécanismes et les ont étudiés de plus près. Ils sont maintenant reconnus dans le monde entier par les thérapeutes et les psychiatres.

Nous avons réfléchi longtemps sur le choix à faire parmi tous ces mécanismes. Nous en avons finalement laissé quelques-uns de côté, comme la *Distorsion* et la *Dissociation*, parce que sous leur forme la plus grave, ils peuvent conduire à des troubles de la personnalité et nécessitent un traitement professionnel, ce qui était hors sujet dans le contexte de cet ouvrage.

Nous avons également omis certains de ceux dont vous avez peut-être entendu parler, ou au sujet desquels vous avez déjà lu : la *Mise en scène* et l'*Hypocondrie*, par exemple. Il y a ensuite le *Refoulement*. Il ne fait aucun doute qu'il s'agit d'un mécanisme courant ; toutefois, nous avons pensé que refouler des désirs inavouables, des problèmes, des pulsions, des pensées et des émotions sous-tendait tant d'autres mécanismes de défense que le concept pouvait être déjà compris. Comprendre comment le fait d'enfouir nos émotions véritables peut nous isoler des êtres chers et nous empêcher d'avoir une vie gratifiante, et à quel point apprendre à nous connecter sur nos émotions nous ouvre à l'acceptation et à l'amour, est vraiment le message du présent ouvrage.

Nous pensons que vous relirez ce livre plusieurs fois, ou tout au moins certains chapitres. Prenez-le et servez-vous de notre langage et de certaines de nos idées quand vous vous sentirez déconcerté par vos propres actes. Vous pouvez reprendre conscience de votre armure préférée lorsque vous vous sentez glisser dans de vieux schémas de comportement. Ou peut-être qu'au fil de votre vie, vous commencerez à reconnaître certains comportements chez vous-même et les autres et voudrez découvrir s'il s'agit d'un mécanisme de défense récemment identifié.

Notre vœu est que ce travail vous ait éclairé sur ce qui, jusqu'à maintenant, vous a amené à vous contenter de moins. Porter une plus grande attention à vos armures du cœur vous permettra de vivre beaucoup mieux, et cela, de toutes les façons.

Nous aimerions avoir de vos nouvelles et découvrir comment vous avancez en prenant conscience de vos méca-

nismes de défense. Racontez-nous votre histoire. Visitez
notre site : www.defendersoftheheart.com

BIBLIOGRAPHIE ET RESSOURCES RECOMMANDÉES

Voici quelques-uns des ouvrages dans lesquels nous avons puisé des renseignements durant la rédaction des *Armures du cœur* (nous y avons noté quelques CD également). Certains livres sont cliniques ; d'autres sont simplement intéressants et s'adressent à quiconque est curieux de continuer d'apprendre, comme nous. Plusieurs sont des classiques ayant traversé l'épreuve du temps, d'autres ont été réédités et mis à jour au fil des ans. Appréciez-les et sachez que vous trouverez dans ces pages quelque chose qui touchera votre cœur.

— AMEN, D., et Routh, L. *Healing Anxiety and Depression*. New York : G.P. Putnam's Sons, 2003.

— BASSETT, L. *From Panic to Power : Proven Techniques to Calm Your Anxieties, Conquer Your Fears, and Put You in Control of Your Life*. New York : HarperCollins, 1996.

— BENSON, H. *The Relaxation Response.* New York : William Morrow and Company, 1975. Mis à jour par Harper Paperbacks, 2000.

— BLISS, E. *Faites-le tout de suite !* Messier et Perron, inc., 1985.

— BORYSENKO, J. Z. *Dire oui au changement,* avec CD, Éditions AdA Inc., Varennes, 2008.

— BOWLBY, J. *Attachement et perte,* Vol I et II, Didier E. Weil, 1978.

— BRANDEN, N. *The Art of Living Consciously : The Power of Awareness to Transform Everyday Life.* New York : Fireside, 1997.

— BURNS, D. D. *tre bien dans sa peau,* Éditions Héritage, 2005.

— CASEMENT, P. *Learning From the Patient.* New York : The Guilford Press, 1991.

— CRAMER, P. *Protecting the Self : Defense Mechanisms in Action.* New York : The Guilford Press, 2006

— FREUD, A. *Le Moi et les mécanismes de défense.* Presses universitaires de France, 2001.

— HAAN, N. *Coping and Defending.* New York : Academic Press, 1977.

— HANH, T. N. *The Miracle of Mindfulness.* Boston : Beacon Press, 1999.

— JEFFERS, S. *Tremblez mais osez !* Paris, Marabout, 2006.

— KABAT-ZINN, J. *Wherever You Go, There You are : Mindful Meditation in Everyday Life.* New York : Hyperion, 1994.

— KANTOR, M. *Passive-Aggression : A Guide for the Therapist, the Patient and the Victim.* New York : Praeger, 2002.

KORNFIELD, J. *Après l'extase, la lessive,* Paris, La Table ronde, 2001.

— KORNFIELD, J. *Guided Meditations : Six Essential Practices to Cultivate Love, Awareness, and Wisdom*. CD audio. Louisville, CO : Sounds True, 2007.

— KORNFIELD, J. *Meditation for Beginners*. CD audio. Louisville, CO : Sounds True, 2001.

Linn, D. *Complete Relaxation*. CD audio. Carlsbad : Hay House, 2006.

— MITCHELL, S. A. et Black, M. J. *Freud and Beyond*. New York : Basic Books, 1995.

— MURPHY, T. et Oberlin, L. H. *Overcoming Passive-Aggression : How to Stop Hidden Anger from Spoiling Your Relationship, Career and Happiness*. New York : Marlow & Company, 2005.

— STERN, D. *The Interpersonal World of the Infant*. New York : Basic Books, 2000.

— VAILLANT, G. *Ego Mechanisms of Defense : A Guide for Clinicians and Researchers*. — Washington, D.C. : American Psychiatric Publishing Inc., 1992.

— WETZLER, S. *Living with the Passive-Aggressive Man*. New York : Fireside, 1992.

REMERCIEMENTS

Tant de gens ont touché notre cœur et nous ont accompagnés pendant la rédaction sinueuse de cet ouvrage. Écrire *Les Armures du cœur* nous a parfois éloignés de nos amis et de notre famille respective, et nous vous remercions de votre patience.

Marilyn et Neil :

Grand merci aux cliniciens qui nous ont fourni leur expérience, leurs encouragements et leur grande compétence : Dr Terry Eagan ; Melissa Capin-Canick, M.F.T. ; Dr Shirley Brazda ; Dr Dani Levine ; et le reste du groupe de nos bureaux de Pico.

Nous remercions nos amis, superviseurs, confidents et thérapeutes, les docteurs Elaine Chaisson et Michael Mullin.

Peggy Pope, Kenny et Andrea Gootnick, Ben et Julie Simon, Rochel Blachman, Martine et Joao Serro, Roger et Cheryl Bloxberg, Tim et Robin Davila, Jill Kaufman, Barry Hoffner, Darren Levine, Jim Pathman et Steve Kishineff : merci d'avoir toujours été là, le cœur généreux, du soutien et de la foi en nous.

Merci à Byron Laursen pour ta pensée créatrice.

Michael Ebeling et Kristina Holmes de Ebeling & Associates : votre talent comme agents nous a mis sur la bonne voie. Merci.

Nos remerciements vont aussi à Jill Kramer, de Hay House, qui a cru en notre projet avec beaucoup d'enthousiasme.

À Angela Hynes, notre plus récente et chère amie, avec chaleur et gratitude pour nous avoir aidés dans l'organisation de nos divagations et nous avoir fourni des idées précieuses.

Nous sommes reconnaissants à ceux qui nous ont accordé des entretiens touchants, mais qui ne figurent malheureusement pas dans le livre.

Merci à Pam Ogus pour ses dix doigts magiques.

Nos frères et sœurs méritent notre gratitude, car ils nous ont aidés à bâtir nos propres mécanismes de défense : Susie et Steve Schwartz, Larry et Wendy Einbund, Mark et Molly Einbund, Terri et Phil Adam, Anita et Loretta Greenberg ainsi que Bill et Sylvia Greenberg.

Howard Gordon et Joannie Burstein, merci d'avoir cru en ce projet.

À nos patients : nous avons été honorés de faire partie de vos vies et de vos cœurs.

Marilyn :

À Alan Duncan Ross, autrefois mon partenaire et maintenant un bon copain : merci de ton esprit vif et de ton verbiage qui nous a propulsés dans des idées nouvelles.

À ma fille chérie, Mali, qui a été — et sera toujours — liée à moi par ce fil rouge spécial : nous sommes connectées à jamais. Avec toi, j'ai observé les mécanismes de défense se développer et s'atténuer quand tu es passé de l'enfance à l'adolescence.

À tous les auditeurs qui écoutent depuis des années *The Marilyn Kagan Show* sur les ondes de KFI : merci de partager vos pensées et préoccupations les plus profondes et les plus sombres, soir après soir.

Neil :

À mon aîné, Spencer Samuel, qui a transformé mon monde à jamais et m'a enseigné à ouvrir mon cœur plus grand que je ne l'aurais cru possible. À mon étonnante fille athlétique, Olivia Michelle, dont l'esprit, la détermination infinie, et l'amour de la compétition m'ont encouragé à viser plus haut. À ma petite dernière, Sophie Rose, qui sourit tout le temps, possède un cœur extrêmement tendre et une vieille âme ; elle m'a appris que l'amour peut guérir toutes les sortes de « bobos », même ceux qu'on ne peut pas voir mais qu'on ressent. Pas une journée ne passe sans que je remercie Dieu du plaisir et du privilège de partager ma maison, mon amour, mes rires, mes larmes et ma vie avec vous trois.

Mon amour, mon admiration et mes remerciements à mon père, Merv Einbund, pour avoir été un modèle et mon plus grand fan chaque jour de ma vie.

Mon appréciation aux fantastiques communautés de Heschel West Day School et à la New Community Jewish High School, ma famille élargie qui, quotidiennement, veillent non seulement sur mes magnifiques enfants, mais également toute notre famille, en termes de respect, de tolérance, de décence et qui fait en sorte que le monde soit meilleur.

À ma femme, Judy, que j'adore, que je respecte, que j'admire et que je remercie de partager ma vie, mon amour et mon cœur depuis tant d'années. Sans ton soutien, ta guidance et ta sagesse, je ne serais même pas la moitié de l'homme que je suis aujourd'hui. Tu es la meilleure!

UN MOT SUR LES
AUTEURS

Marilyn Kagan, diplômée en travail social, œuvre en pratique privée à Los Angeles depuis plus de 25 ans et est très respectée. C'est l'une des spécialistes en psychologie les plus respectés et en demande chez les médias. Son populaire talk-show à la radio KFI de Los Angeles est resté en ondes durant sept ans, et elle a animé pendant trois ans *The Marilyn Kagan Show*, nominé pour les Emmy. De plus, elle a présenté de nombreuses chroniques sur tous les grands réseaux de télévision et a été l'hôte invitée d'une des émissions E!'s *Talk Soup*.

Neil Einbund, Ph.D., est psychologue clinicien agréé ainsi que thérapeute conjugal et familial en pratique privée à Los Angeles depuis 1988. Son expertise couvre une vaste gamme de spécialités, dont la dynamique familiale et les relations de couple, la consultation conjugale, les dépendances, le divorce et le deuil. Depuis les vingt dernières années, il enseigne un programme visant à aider les couples à réussir leur mariage (*Making Marriage Work*) à l'American Jewish University, où il travaille en association avec Marilyn Kagan.

Pour obtenir une copie de notre catalogue :

Éditions AdA Inc.

1385, boul. Lionel-Boulet, Varennes, Québec, J3X 1P7
Téléphone : (450) 929-0296, Télécopieur : (450) 929-0220
info@ada-inc.com
www.ada-inc.com

Pour l'Europe :
France : D.G. Diffusion Tél.: 05.61.00.09.99
Belgique : D.G. Diffusion Tél.: 05.61.00.09.99
Suisse : Transat Tél.: 23.42.77.40

L'utilisation de 3 428 lb de Rolland Enviro100 Édition plutôt
que du papier vierge réduit votre empreinte écologique de:

Arbres: 29
Déchets solides: 840 kg
Eau: 79 447 L
Émissions atmosphériques: 1 844 kg

AD A
éditions

www.AdA-inc.com
info@AdA-inc.com